GW00383336

Die drei ???® Kids

Das Witzebuch – Zum Schrottlachen

Die drei ???® Kids

Das Witzebuch
Zum Schrottlachen

KOSMOS

Umschlagsillustrationen von Kim Schmidt, Dollerup
Umschlaggestaltung: Walter Typografie & Grafik GmbH, Würzburg
Illustrationen: Kim Schmidt, Jan Saße

Gedruckt auf chlorfrei gebleichtem Papier

ISBN: 978-3-440-15937-8
Redaktion: Markus Brinkmann, Susanne Stegbauer
Gestaltung und Satz: Christin Ganasinski, Alina Sarcevic
Produktion: Verena Schmynec
Druck und Bindung: Finidr, s.r.o., Český Těšín
Printed in Czech Republic / Imprimé en République tchèque

Inhaltsverzeichnis

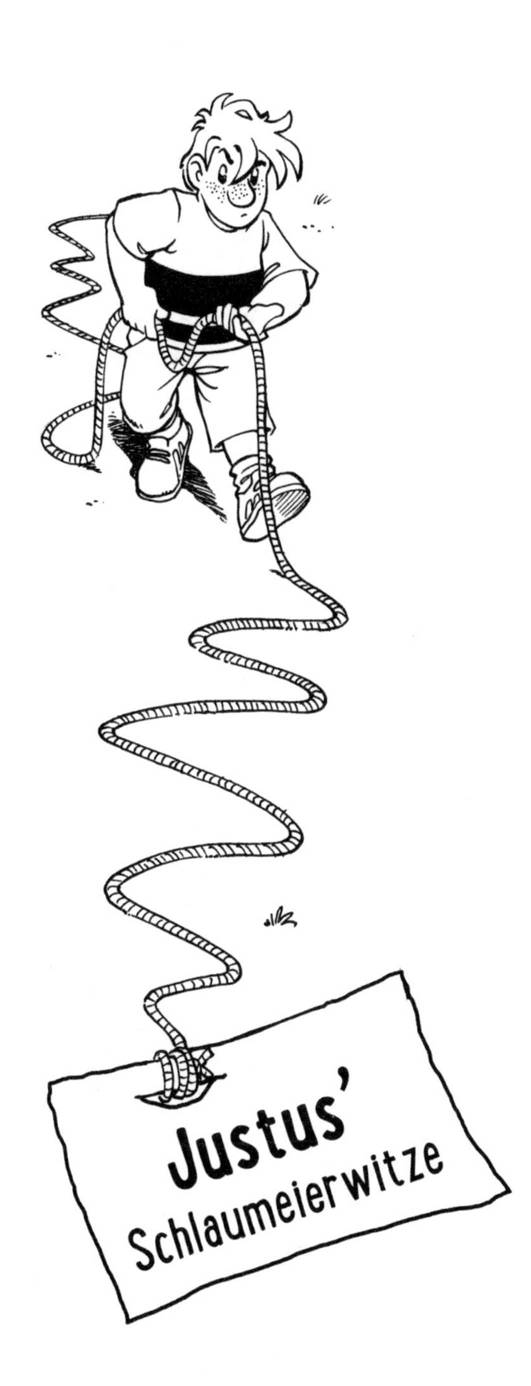
Justus'
Schlaumeierwitze

Der erste Schultag.
Mitten in der ersten Stunde packt Justus sein Brötchen aus.
Sagt die Lehrerin: „Du, hier gibt es aber kein Frühstück!"
Grinst Justus: „Das dachte ich mir schon.
Deshalb habe ich mir ja auch was mitgebracht."

Im Sachkundeunterricht fragt die Lehrerin:
„Was geschieht, wenn ein Mensch in eine
mit Wasser gefüllte Badewanne steigt?"
Sofort meldet sich Bob: „Normalerweise
bimmelt dann das Telefon!"

Justus, Peter und Bob gehen zu
Giovanni in die Eisdiele am
Marktplatz. Giovanni bringt
ihnen die Eiskarte.
Nach zehn Minuten kommt er
wieder und fragt: „Na, habt ihr
was gefunden?" Antwortet Justus:
„Ja, drei Rechtschreibfehler."

Kommt Peter von der Schule heim und strahlt seinen Vater an: „Papa, wir haben heute in der Schule gelernt, wie man Sprengstoff macht."
Sein Vater fragt: „Und was macht ihr morgen?"
„In welcher Schule?"

Können Lehrer schwimmen?
Eigentlich ja – denn sie sind ja hohl.
Andererseits nein – denn sie sind nicht ganz dicht.

Fragt die Lehrerin:
„Was ist 5 – 5?"
Meldet sich Bob:
„Eine Rechenaufgabe!"

„Was haben Pinguine und Papageien gemeinsam?", will der Lehrer wissen.
Bob antwortet nach reiflicher Überlegung:
„Beide können nicht Fahrrad fahren."

Die Lehrerin sagt zu ihrer Klasse: „Wer mir die nächste Frage richtig beantworten kann, darf nach Hause gehen.“ Die Lehrerin dreht sich um, um die Frage an die Tafel zu schreiben.
Peter steht auf und wirft seinen Stift nach vorne.
Die Lehrerin dreht sich um und fragt: „Wer war das?“ – „Ich!“, antwortet Peter, „und einen schönen Tag noch.“

Peter kommt zu spät zum Unterricht.
Der Lehrer fragt nach dem Grund.
Antwortet Peter: „Das Beste kommt immer zum Schluss!“

Am letzten Schultag bekommt Peter sein Zeugnis.
Der Lehrer sagt: „Dein Vater bekommt bestimmt graue Haare, wenn er dein Zeugnis sieht.“
Antwortet Peter: „Da wird er sich bestimmt freuen, er hat schon seit langer Zeit eine Glatze.“

Im Biologieunterricht. Justus berichtet: „Gestern habe ich zwei männliche und zwei weibliche Fliegen gesehen."
„Aber Justus, das kann man doch gar nicht unterscheiden", sagt die Lehrerin.
„Doch, das kann man. Zwei saßen am Spiegel und zwei am Bierglas."

„Der Mond ist so groß, dass dort viele Millionen Menschen Platz hätten", erzählt der Lehrer in der Erdkundestunde.
Justus zweifelt: „Das gäbe aber ein großes Gedränge, wenn Halbmond ist!"

Der Lehrer sagt: „Ich bin hübsch – welche Zeit ist das?"
Meldet sich Peter:
„Vergangenheit, Herr Lehrer, Vergangenheit!"

BITTE RUHE

Lehrer: „Hört mal, es gibt zwei Wörter, die ich nie mehr von euch hören will. Das eine ist affengeil und das andere ist saudoof!" Meldet sich Bob: „Geht in Ordnung. Wie heißen die beiden Wörter denn?“

Treffen sich zwei alte Schulfreunde. Fragt der eine den anderen: „Was arbeitest du denn so?“ „Ich bin in einem Theater und verteile die Rollen.“ „Oh, das hört sich aber schwierig an.“ „Das ist es aber nicht, ich muss nur gucken, dass in jedem WC eine ist.“

Lehrer zu Peter: „Wie stellst du dir eine ideale Schule vor?" Peter: „Geschlossen!"

„Herr Lehrer“, fragt Peter den Klassenlehrer, „kann man für etwas bestraft werden, was man nicht getan hat?“
„Natürlich nicht. Das wäre ja ungerecht.“
„Gut“, sagt Peter. „Ich habe nämlich meine Hausaufgaben nicht gemacht!“

Lehrer: „Justus, was ist das für ein Schmetterling?“
„Ein Zitronenfalter, Herr Lehrer!“
„Aber Justus, der hier ist grün und nicht gelb!“
„Vielleicht ist er ja noch nicht reif, Herr Lehrer!“

Die Lehrerin hat Peter zum Psychologen geschickt, weil er Fußball mag.
„Aber deshalb brauchst du nicht zu mir zu kommen“, sagt der Psychologe.
„Ich mag ja auch Fußball.“
„Das ist prima!“, ruft Peter überglücklich.
„Ich mag ihn am liebsten angebraten, schön knusprig, kleingeschnitten und mit gelben Bohnen.“

Kommt Peter am letzten Schultag nach Hause:
„Papa, schau dir bitte mal dieses Zeugnis an."
Vater: „Das ist ja unter aller Sau, schämst du dich nicht dafür?"
Peter: „Wieso ich? Das habe ich auf dem Dachboden gefunden. Es ist ein Altes von dir!"

Der Naturkunde-Lehrer erklärt:
„Merkt euch doch endlich: Kälte zieht sich zusammen und Hitze dehnt sich aus.
Wer kann mir ein Beispiel geben?
Ja, Justus, bitte!"
Justus: „Die Winterferien dauern nur zwei Wochen, die Sommerferien dauern sechs."

Der Lehrer fragt: „Peter, warum kommst du schon das vierte Mal in dieser Woche zu spät zum Unterricht?"
Peter antwortet: „Auf dem Aufzug stand ein Schild ‚nur vier Personen' – da musste ich natürlich warten bis noch drei weitere Personen kamen."

Der Lehrer: „Bob, nenne mir bitte vier Tiere!“
Bob: „Kätzchen, Hündchen, Vögelchen und Mäuschen.“
Lehrer: „Bob, jetzt lass doch mal das -chen am Ende des Wortes weg und nenn mir vier Tiere.“
Bob: „Ok. Eichhörn ...“

Peter kommt zu spät zur Schule.
Auf der Treppe trifft er die Direktorin.
„Zehn Minuten zu spät“, sagt sie ernst.
Peter nickt und meint: „Ich auch!“

Bob wirft sein Pausenbrot aus dem Fenster.
Der Lehrer fragt:
„War das mit Absicht?“
Bob: „Nein, mit Käse!“

Im Mathematikunterricht sagt der Lehrer: „Merkt euch Kinder, ein Kreis muss immer rund sein – auch an den Ecken!"

Zwei Freundinnen unterhalten sich über einen Klassenkameraden:
„Du sag mal, was stört dich eigentlich so sehr an Klaus?", fragt Laura.
„Er kaut an den Nägeln, das ist total ekelig!", meint Larissa.
„Ach, das ist doch nicht so schlimm. Das machen viele!"
„Klar, aber nicht an den Fußnägeln!"

Peter liegt mit Grippe im Bett. Der Arzt untersucht ihn. Da fragt Peter: „Bitte, Herr Doktor, ich kann die Wahrheit ertragen. Wann muss ich wieder zur Schule?"

Der Lehrer sagt zur Klasse: „Wer denkt, dass er ein Dummkopf ist, soll sich hinstellen.“ Nach einiger Zeit, in der keiner aufsteht, erhebt sich Justus.
Verblüfft fragt der Lehrer: „Du hältst dich also für einen Dummkopf?“
„Nein, eigentlich nicht, aber ich kann Sie doch nicht so alleine stehen lassen.“

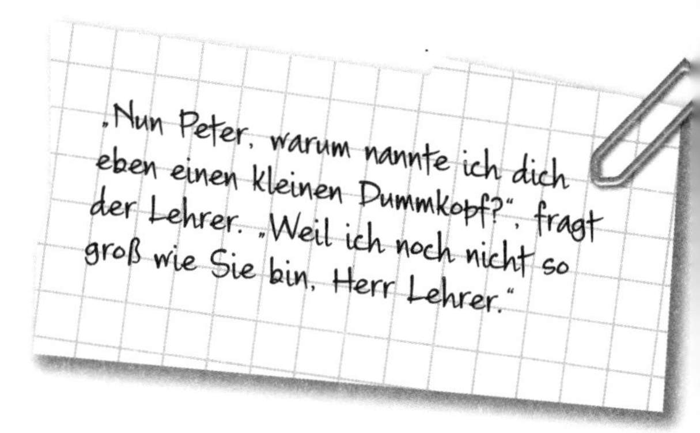

Im Unterricht sagt die Lehrerin zu ihren Schülern: „Bis zum nächsten Kunstunterricht macht ihr bitte alle euren Farbkasten sauber! Also blau ist blau, grün ist grün, rot ist rot, gelb ist gelb, lila ist lila, rosa ist rosa und so weiter.“
Beim nächsten Kunstunterricht kontrollierte die Lehrerin die Farbkästen. Sie kommt zu Peter und fragt: „Peter, wieso ist denn dein Braun schwarz?“
Peter: „Aber Frau Lehrerin, sie haben nicht gesagt, dass braun auch braun sein soll!“

Der Lehrer versucht den Kindern den Begriff „Wunder“ zu erklären.
„Ein Dachdecker fällt vom Kirchturm und bleibt unverletzt. Peter, was ist das?“
„Ein Unfall, Herr Lehrer.“
„Nun fällt derselbe Mann von einem Dach und es passiert wieder nichts. Bob, was ist das?“
„Glück, Herr Lehrer!“
Der Lehrer verzweifelt. „Wenn er nun aus dem vierten Stock fällt und bleibt wieder heil, was ist das dann, Justus?“
„Gewohnheit, Herr Lehrer!“

Der Lehrer fragt:
„Wer weiß, wo Bordeaux liegt?“
Bob ruft: „In Papas Weinkeller!“

Der Lehrer fragt die Klasse:
„Woran merkt man, dass Ebbe ist?“
Meldet sich Bob und antwortet:
„Na, wenn es beim Rudern staubt!“

Lehrer zu seiner neuen Klasse: „Ich möchte euch gerne alle beim Namen kennen, also sagt mir doch bitte der Reihe nach wie ihr heißt!"
Erster Schüler: „Ich heiße Hannes."
Lehrer: „Na, das heißt doch sicher Johannes, oder?"
Zweiter Schüler: „Ich bin der Achim."
Lehrer: „Aber, aber ... das heißt doch wohl Joachim, nicht?"
Daraufhin meint der dritte Schüler ganz verunsichert:
„Ich heiße Jo-Kurt ..."

Die Musiklehrerin sagt zu Peter:
„Sing bitte die Note C!"
Peter singt. „Sehr gut! Und jetzt G!"
Peter: „Danke! Dann bis morgen!"

Der Sohn sitzt mit der Mutter am Frühstückstisch und ist sehr niedergeschlagen. Die Mutter fragt ihn: „Mein Sohn, was ist denn?"
„Ich will nicht in die Schule", antwortet der Sohn, „die Schüler lachen über mich, hänseln mich und nehmen mich nicht für voll. Ich halte das nicht mehr aus."
„Du musst hin mein Junge", sagt daraufhin die Mutter, „du bist schließlich 48 Jahre alt und der Direktor dieser Schule!"

Die gesamte Klasse überlegt angestrengt, als der Lehrer ihnen den Begriff „Versuchung" erklären will. Keiner weiß ein Beispiel zu sagen. Nun fragt der Lehrer: „Hat denn von euch zum Beispiel noch niemand daran gedacht, mit einem Messerchen oder sonst einem Gegenstand in den Schlitz eurer Sparbüchse zu kommen und Geld herauszuziehen?"
Skinny Norris strahlt und sagt: „Bis jetzt habe ich das noch nicht gemacht, aber diese Idee muss ich mir merken!"

Was haben Lehrer und Wolken gemeinsam?
Wenn sie sich verziehen wird es schön.

„Wenn ich den Kopf nach unten halte", erklärt der Lehrer, „dann strömt mir das Blut hinein, warum aber nicht in die Füße, wenn ich stehe?" Meldet sich Peter und sagt: „Weil Ihre Füße nicht hohl sind!"

Die Lehrerin fragt: „Justus, ich schenke dir heute zwei Kaninchen und morgen drei – wie viele Kaninchen hast du dann?"
„Dann habe ich sechs."
„Falsch! Die richtige Antwort ist fünf."
„Nein, das sind dann wirklich sechs."
Die Lehrerin wird sauer: „Nun ist aber gut, Justus. Ich weiß das doch besser!"
„Aber Frau Lehrerin, ich habe doch schon ein Kaninchen ..."

Während der Schulleiter in einer Klasse den Unterricht prüft, wird er durch Geschrei in der Nachbarklasse gestört. Er läuft wutentbrannt hinüber, packt sich den größten Schreihals und nimmt ihn mit in seine Klasse. Nebenan wird es auffallend still, bis es an der Tür klopft. Ein Schüler tritt ein und fragt: „Können wir vielleicht unseren Lehrer wiederhaben?"

Ein Lehrer steht seit Stunden mit seiner dritten Klasse auf dem Bahnsteig. Einen Zug nach dem anderen lässt er passieren. Schließlich platzt ihm der Kragen: „Den nächsten Zug nehmen wir, auch wenn wieder nur 1. und 2. Klasse draufsteht …"

„Wie nennt man jemanden, der dauernd weiterspricht, obwohl ihm niemand zuhören will?"
„Einen Lehrer, Herr Lehrer!"

Die Klasse bekommt eine Aufgabe vom Kunstlehrer:
„Ihr sollt malen, was euch gefällt!"
Als der Lehrer zu Bob kommt, nimmt er sein Blatt und fragt ihn:
„Hast du schon mal einen Engel mit drei Flügeln gesehen?"
Da fragt Bob zurück:
„Haben Sie schon mal einen Engel mit zwei Flügeln gesehen?"

Die Lehrerin zu Justus:
„Auf diesen Tisch lege ich genau drei Eier. Du legst ein Ei dazu. Wie viele Eier sind es dann im Ganzen?“
Justus: „Natürlich drei. Ich kann nämlich keine Eier legen. Unmöglich!“

Ein Schüler zum zerstreuten Biologielehrer:
„Sie wollten uns doch heute etwas über das menschliche Gehirn erzählen.“
„Nein, heute habe ich etwas anderes im Kopf!“

„Ich bin hier der Einzige, der arbeitet!“, schimpft der Lehrer vor der Klasse.
„Stimmt“, pflichtet ihm ein Schüler bei, „Sie sind ja auch der Einzige, der hier Geld dafür bekommt!“

Der Mathelehrer sagt: „Die Klasse ist so schlecht in Mathe, dass sicher 90 Prozent in diesem Schuljahr durchfallen werden."
Ein Schüler im Hintergrund: „Aber so viele sind wir doch gar nicht ...!"

In der Erdkundestunde fragt der Lehrer die Schüler: „Wo komme ich hin, wenn ich im Schulhof ein tiefes Loch grabe?"
Meldet sich Justus und antwortet: „Ins Irrenhaus ...!"

Fragt der Lehrer: „Kann mir jemand erklären, warum Blähungen so stinken?"
Meldet sich Peter aus der hintersten Reihe: „Damit die Schwerhörigen auch was davon haben!"

„Sag mal, Bob", fragt der Lehrer, „was soll das unter deinem Aufsatz: ‚Alle Rechte vorbehalten, einschließlich Verfilmung und Übersetzung'?"

Mündliches Abitur in Physik!

Der erste Schüler kommt rein und wird von dem Prüfer gefragt: „Was ist schneller, das Licht oder der Schall?“ Antwort: „Der Schall natürlich!“
Prüfer: „Kannst du das begründen?“
Antwort: „Wenn ich meinen Fernseher einschalte, kommt zuerst der Ton und dann das Bild.“
Prüfer: „Du bist durchgefallen. Der nächste bitte.“
Der nächste Schüler kommt rein und bekommt die gleiche Frage gestellt. Antwort: „Das Licht natürlich!“
Prüfer (erleichtert über die Antwort):
„Kannst du das auch begründen?“
Antwort: „Wenn ich mein Radio einschalte, dann leuchtet erst das Lämpchen und dann kommt der Ton.“
Prüfer: „RAUS! Du bist auch durchgefallen!
Ruf den letzten Schüler rein!“

Zuvor holt sich der Lehrer eine Taschenlampe und eine Hupe. Vor dem Schüler macht er die Taschenlampe an und gleichzeitig hupt er. Prüfer: „Was hast du zuerst wahrgenommen, das Licht oder den Schall?“
Schüler: „Das Licht natürlich.“
Prüfer: „Kannst du das auch begründen?“
Schüler: „Na klar! Die Augen sind doch weiter vorne als die Ohren.“

Sagt der Lehrer zu Peter: „Einer von uns muss ein Riesentrottel sein.“ Am nächsten Tag überreicht ihm der Schüler einen Zettel. „Was ist denn das?“ „Ein Attest vom Schularzt, dass ICH völlig normal bin!“

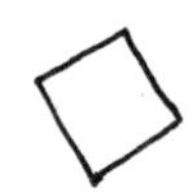

Die Lehrerin belehrt Peter:
„Aber Peter, man darf doch nicht den Zeigefinger in die Nase stecken.“
„Nein? Welchen Finger soll ich denn nehmen?“

Der Deutschlehrer fragt Peter:
„Was ist das für ein Fall, wenn du sagst:
‚Das Lernen macht mir Freude?'“
Peter überlegt nicht lange:
„Ein seltener, Herr Lehrer.“

„Kannst du mir erklären, Bob, was das heißt:
„Der Väter Sünde rächt sich an den Kindern?“
„Klar! Wenn mein Vater mir die Schularbeiten
macht, dann machen Sie mir dafür Vorwürfe,
Herr Lehrer.“

„So, Peter“, ärgert sich der Lehrer, „du weiß also nicht einmal, wann der Dreißigjährige Krieg begann.“ – „Nein, Herr Lehrer“, antwortet Peter, „aber dafür weiß ich wie lange er gedauert hat.“

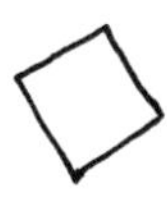

Zwei Drittklässler unterhalten sich: „Ich kann schneller rechnen als unser Lehrer.“
„Dann sag schnell, was ergibt 5 x 5?“
„77!“
„Aber das ist doch total falsch!“
„Ja, schon, aber dafür auch total schnell!“

Peters Sportwitze

Peter bekommt hohes Fieber.
Der Arzt misst und sagt: „40,5!"
Da stöhnt er: „Und wie steht der Weltrekord?"

Während eines Fußballspiels sitzt der Trainer auf der Bank. Plötzlich springt er auf und ruft seinen Spielern zu: „Wieso kommt der Gegner so frei zum Schuss?"
Ein Spieler ruft genervt zurück: „Ist doch Elfmeter!"

Peter ist total stolz:
„Gestern habe ich beim Tennisturnier den ersten Preis gewonnen!"
„Quatsch, ich war doch dabei. Du hast den dritten Preis gewonnen", sagt Justus.
„Na ja, ich hatte vorher aber noch keinen!"

„Wir legen hier auf zwei Dinge Wert", sagt der Präsident des Fußballvereins zu seinem neuen Spieler. „Das eine ist Sauberkeit. Haben Sie sich die Schuhe auf der Fußmatte abgetreten?"
„Natürlich!"
„Und ganz besonderen Wert legen wir auf Ehrlichkeit. Vor der Tür liegt gar keine Fußmatte!"

„Ich wollte das Wellenreiten auch mal ausprobieren", erzählt Peter nach seiner Rückkehr aus dem Urlaub, „aber meint ihr, dieser blöde Gaul wäre auch nur einen Schritt ins Wasser gegangen?"

„Ich verstehe nicht, warum man jeden Sonntag unbedingt zum Fußball muss!", nörgelt die vom Fußball geplagte Ehefrau.
„Eben, eben", sagt ihr Mann. „Wenn man von einer Sache nichts versteht, soll man sich lieber raushalten."

„Ich würde so gern Ski fahren“, seufzt der Tausendfüßler. „Aber jedes Mal, wenn ich die Bretter endlich angeschnallt habe, ist der Winter vorbei.“

Peter wartet auf die U-Bahn und vertreibt sich die Zeit damit, Fußball-Dribbelschritte zu üben. „Kommen Sie, junger Mann“, sagt eine ältere Dame zu ihm, „ich zeige Ihnen, wo die nächste Toilette ist.“

Bob geht über den Fußballplatz und schaut angestrengt auf den Boden. „Suchst du etwas?“, fragt ihn der Platzwart. „Ja, Peter hat mir erzählt, dass hier gestern ein Spiel verloren worden sein soll.“

Zwei Rodeo-Pferde unterhalten sich über einen neuen Reiter: „Reiten kann der Kerl ja nicht – aber er fliegt so schön!"

„Meine Mannschaft ist viel fairer als früher", meint der Trainer stolz zum Schiedsrichter.
„Ach ja? Und wie zeigt sich das?", fragt der Schiedsrichter zurück.
„Die Jungs besuchen ihre Gegner nun sogar nach dem Spiel im Krankenhaus."

Fragt der Vereinspräsident den Trainer: „Wie war denn der neue Spieler im Probetraining?" – „Nicht schlecht! Der hat einen Sonntagsschuss nach dem anderen gemacht."
„Und warum haben Sie ihn dann weggeschickt?"
„Na ja, wir spielen doch immer samstags!"

„Seit Peter zu seinem Geburtstag Wasserski bekommen hat", erzählt Bob Justus in der Kaffeekanne, „ist er völlig mit den Nerven runter."
„Ja? Wieso denn?"
„Es ist zum Verzweifeln. Seit mehr als zwei Wochen sucht er nun schon nach einem abschüssigen See."

Auf der Ski-Piste krachen zwei Anfänger ineinander.
Sie verheddern sich. „Oh mein Gott“, schreit plötzlich einer.
„Ich kann mein Bein nicht mehr spüren!“
„Das ist ja auch kein Wunder!“, schreit ihn der andere an.
„Du zwickst ja auch die ganze Zeit in mein Bein!“

Bob läuft mit einem Stapel Holz unterm Arm aus dem Haus. Seine Mutter hält ihn an und fragt: „Aber Bob, wohin willst du denn mit dem vielen Holz?“
„Zum Fußballspiel!“
„Aber da brauchst du doch kein Holz!“
„Doch. Papa hat gesagt, wir müssen die Mannschaft heute kräftig anfeuern!“

Mühsam quält sich die Gruppe Radrennfahrer den Berg hinauf. Ein Bergbauer steht auf dem Feld und schaut zu. „Ich möchte mal wissen, warum die sich so schinden“, sagt er kopfschüttelnd.
„Na, weil der Erste 10.000 Dollar bekommt!“, antwortet ihm einer der Zuschauer.
„Na schön“, sagt der Bergbauer, „aber warum schinden sich dann die anderen?“

„Du Papa, was wird aus einem Fußballspieler, wenn er nicht mehr gut sehen kann?", will Peter wissen.
„Der wird Schiedsrichter", antwortet der Vater.

Mr Newman zu seinem Gutsverwalter:
„Ist meine Frau schon von ihrem Ausritt zurück?"
Darauf der Verwalter: „Nein, aber lange kann es nicht mehr dauern, das Pferd ist bereits angekommen."

Peter und Bob kämpfen sich auf einem Tandem den Berg hoch. Als sie endlich oben angekommen sind, keucht Peter, der vorne sitzt: „Man, ich bin fix und fertig! Das war ja die pure Schinderei."
„Ja, nicht wahr?", stimmt Bob zu und grinst. „Zum Glück habe ich die ganze Zeit auf der Bremse gestanden, damit wir nicht rückwärts runterrollen."

Nach dem 0:7 schimpft der Trainer mit seinem Stürmer: „Wann kriege ich endlich mal wieder was Ordentliches von dir zu sehen?“
„Heute Abend im Werbefernsehen – da stelle ich den neuen Fruchtjoghurt vor!“

Nach dem schlechten Fußballspiel pfeifen alle den erfolglosen Stürmer aus. Nur ein einziger Junge kommt und bittet um dessen Trikot. „Oh, bist du ein Fan?“, fragt der Fußballspieler geschmeichelt.
„Nein, nein“, winkt der Junge ab, „aber Ihr Trikot ist das einzige, das nicht verschwitzt ist.“

An der Grenze sagt der Grenzbeamte zum Fußballstar: „Zeigen Sie mir doch mal Ihren Pass!“ Darauf antwortet der Fußballer: „Ja gerne, haben Sie einen Ball?“

„Mein Trainer hat gesagt, ich könnte ein toller Fußballspieler sein", sagt Peter. „Mir stehen nur zwei Dinge im Weg."
„Und welche?", fragt Justus.
„Meine Füße."

Als die Kinder auf der Straße Fußball spielen, fällt Peter auf die Nase.
Da kommt eine alte Frau zu ihm geeilt und fragt: „Ist alles in Ordnung? Ist die Nase heil geblieben?"
„Ja, danke", antwortet Peter. „Die beiden Löcher waren vorher schon drin."

„Was macht ihr im Karatekurs denn so?"
„Wir zerschlagen mit der Handkante Ziegelsteine."
„Und wofür braucht man das?"
„Wenn man überfallen wird, kann man sich wehren."
„Aber wann wird man schon von Ziegelsteinen überfallen?"

Justus, Peter und Bob übernachten in einem Zelt. Nachts werden Justus und Bob durch laute Geräusche wach. Als beide aus dem Zelt schauen, sehen sie, wie Peter ums Zelt rennt — verfolgt von einem Tiger. Da ruft Justus: „Schneller Peter, der Tiger holt dich gleich ein!"
„Macht nichts", ruft Peter, „ich habe drei Runden Vorsprung!"

Die Fußballspieler sind nicht gut drauf. Genervt brüllt der Trainer ihnen zu: „Ich sagte: Spielt wie noch nie! Und nicht: Spielt, als ob ihr noch nie gespielt hättet!"

Bob rast mit seinem Fahrrad in einem Höllentempo durch eine dunkle Straße. „Halt! Du hast kein Licht!", ruft ein Spaziergänger empört.
„Weg da, ich habe auch keine Bremse!", ruft Bob zurück.

Zwei Schlaumeier unter sich:
„Warst du am Sonntag beim Fußballspiel?"
„Ja, klar."
„Und, wie ist es ausgegangen?"
„Wie immer, mit dem Schlusspfiff."
„Nein, ich meine, wie viele Tore gab es?"
„Auch wie immer: zwei. An jedem Ende des Spielfeldes eines."

Familie Shaw ist zum ersten Mal auf der Rennbahn. Auf den Rat seines Vaters hin setzt Peter sein gesamtes Taschengeld auf Rosinante. Das Pferd kommt jedoch an elfter Stelle als letztes ins Ziel. „Hätte ich bloß nicht auf dich gehört", ärgert sich Peter.
„Mach dir nichts draus", meint sein Vater, „immerhin waren zehn Pferde nötig, um es zu besiegen."

Die eingebildete Claudia fragt Lena:
„Was würdest du tun, wenn du so gut reiten könntest wie ich?"
Darauf Lena: „Reitunterricht nehmen!"

Der Manager spricht seinem schwer angeschlagenen Boxer in der Pause Mut zu: „Der andere gewinnt zwar, aber du kriegst ganz sicher die besten Großaufnahmen im Fernsehen!“

Der Boxer fragt nach der ersten Runde seinen Trainer: „Wie wirkt meine Taktik auf den Gegner?“
„Ach, schlag ruhig weiter daneben“, sagt der Trainer, „vielleicht erkältet er sich durch den Luftzug!“

Der Trainer brüllt Peter wütend an: „Du kommst schon wieder zu spät zum Training! An deiner Stelle würde ich überhaupt nicht mehr kommen!“
„Ja, Sie vielleicht nicht, aber ich habe eben Pflichtbewusstsein!“

„Wie war ich?", fragt der Torwart den Trainer.
„Vorigen Sonntag warst du besser."
„Vorigen Sonntag? Aber da habe ich doch gar nicht gespielt!"
„Eben!"

Nachdem die Sommersaison vorbei ist, tröstet der Trainer seine Wasserballmannschaft: „Wir haben zwar nie gewonnen – aber immerhin ist auch keiner ertrunken."

Peter soll gegen den eisenharten Verteidiger spielen. „Oh nein", stöhnt er, „der tritt doch gegen alles, was sich bewegt!"
Da grinst der Trainer: „Na, dann brauchst du ja keine Angst zu haben!"

Der Trainer sagt nach dem Spiel zum Fußballspieler: „Du bist mein bestes Pferd im Stall, und weißt du auch warum?"
„Weil ich so gut tricksen, dribbeln und schnell laufen kann, ein tolles Ballgefühl habe und intelligent spiele?"
„Nein, weil du den meisten Mist machst."

Der Trainer einer Eishockeymannschaft ermahnt seine Mannschaft: „Jungs, spielt nicht zu hitzig – denkt an das Eis."

Der Gewichtheber kehrt nach dem Wettkampf enttäuscht nach Hause zurück. „Schon wieder verloren!", berichtet er geknickt seiner Frau. Die legt ihm tröstend die Hand auf die Schulter: „Du solltest nicht alles so schwernehmen."

Peter bewirbt sich bei einem hoch verschuldeten Fußballverein. „Wir nehmen dich!", ruft der Präsident. „Du hast eine herrlich breite Brust!"
„Ich dachte, es kommt darauf an, wie ich spiele", fragt Peter verwirrt.
„Erst in zweiter Linie", sagt der Präsident, „wichtiger ist die Werbefläche, die wir vermieten können."

Beim Zahnarzt. „So, wir sind fertig für heute“, sagt der Zahnarzt gut gelaunt. „Aber könntest du mir bitte einen großen Gefallen tun?“
„Ja gerne, welchen denn?“, fragt Justus.
„Schrei bitte so laut du kannst!“
„Warum?“, fragt Justus erstaunt.
„Es ist schon 17 Uhr“, erklärt der Zahnarzt, „das Wartezimmer ist noch immer brechend voll – und in einer Stunde beginnt die Übertragung des Pokalendspiels.“

Peters Fußballmannschaft hat wieder einmal verloren. Der Trainer regt sich auf: „Noch so eine miese Vorstellung und ich verscherble alle Spieler für 2 Dollar und 20 Cent!“
„Wie kommen Sie denn auf diesen Betrag?“
„Na, für elf Flaschen bekommt man nicht mehr Pfand.“

Der Trainer schimpft mit dem Mittelstürmer, der ein Eigentor geschossen hat: „Mann, warum hast du denn auf unser eigenes Tor geschossen?"
„Ach, die Dinger sehen sich so verdammt ähnlich."

Ein Zuschauer fragt den Trainer nach dem Spiel: „Wie erklären Sie es sich eigentlich, dass Ihre Mannschaft jedes Spiel gewinnt?"
„Ich weiß auch nicht", antwortet der Trainer, „dabei wette ich vorher immer mit dem Schiedsrichter um 5000 Dollar, dass wir verlieren."

Was ist die perfekte Größe für einen Schiedsrichter?
25 Zentimeter – immer auf Ballhöhe.

Kurz vor Anpfiff des Pokalendspiels kommt Bob, ziemlich außer Atem, an das Kartenhäuschen. „Zu spät", sagt die Kassiererin. „Das Stadion ist ausverkauft – bis auf den letzten Platz." „Schön", nickt Bob zustimmend, „dann geben Sie mir den!"

Peter lernt Reiten und darf nach zwei Monaten über ein Hindernis springen. Aber das Pferd bleibt stehen und schleudert Peter über die Hürde.
Der Trainer: „Na ja, für den Anfang okay. Beim nächsten Mal solltest du nur versuchen, mit dem Pferd auf die andere Seite zu gelangen."

Der Jockey beendet das Rennen als erster. Der Manager kommt zu ihm und schimpft ihn an: „Sie hätten doch noch viel schneller im Ziel sein können!" Antwortet der Jockey: „Klar hätte ich das, aber ich musste doch beim Pferd bleiben!"

Mit dem Startschuss rasen alle Motorräder los, nur eine Maschine bleibt am Start stehen. Der Rennleiter fragt: „Warum bleiben Sie stehen?"
„Sie haben mir den Reifen zerschossen!"

Peter und Bob fragen Justus: „Machst du Sport?"
„Aber natürlich", antwortet Justus, „ich spiele Fußball, gehe zum Ringen und neulich habe ich einen Hockey-Wettbewerb gewonnen."
„Wann findest du die Zeit dafür?"
„Am Wochenende am PC."

Sagt Justus: „Mein Arzt hat mir geraten mit dem Fußballspielen aufzuhören!"
Antwortet Peter: „Mein Gott, hat er was Schlimmes bei dir gefunden?"
Sagt Justus: „Nein, er hat mich spielen sehen!"

Unterhalten sich Peter und Bob: „Kennst du den Unterschied zwischen unserem Fußballteam und einem Marienkäfer?“
„Die Marienkäfer haben mehr Punkte.“

Das Nachwuchstalent zum Manager:
„Wie hoch ist denn mein Gehalt?“
„Zunächst 20.000 Dollar im Monat, später dann mehr.“
„Ok, dann komme ich später wieder!“

Was ist der Unterschied zwischen einem Bankräuber und einem Fußballstar?
Der Bankräuber sagt: „Geld her, oder ich schieße!“
Der Fußballstar hingegen: „Geld her, oder ich schieße nicht!“

Peter wird gefoult. Er macht einen hohen Flug, setzt zur Landung an, rollt sich dreimal über den Boden, hält sich sein Bein fest und schreit laut auf.
Meint Justus zu Bob: „Sollen wir jetzt einen Arzt oder einen Theaterkritiker rufen?“

Nach einer erneuten Niederlage der Trainer zu seinen Spielern: „Am besten fangen wir noch mal ganz von vorne an ... Also: Das hier ist ein Fußball ...“
Zwischenruf aus der letzten Reihe: „Kann ich das Teil noch mal sehen?“

Nach der erneuten Niederlage macht der Trainer mit seiner Mannschaft einen Stadion-Rundgang: „So, Jungs“, sagt er, „wo die Fotografen und die Fernsehkameras sind, wisst ihr jetzt ja – und nun zeige ich euch noch, wo die Tore stehen.“

„Justus trägt immer Golfsocken“, erzählt Bob.
„Wie sehen die aus?“
„Sie haben achtzehn Löcher.“

Zwei Jogger reden über ihre Hunde.
Meint der eine: „Meiner hat eine super Nase, der riecht mich auf 1.000 Meter.“
Erwidert der andere: „Wie oft sollen wir dir noch sagen, du sollst öfters duschen.“

Das Spiel war blamabel. Schimpft der Mittelstürmer: „Der Schiedsrichter ist schuld! Ich trete ihm in den Hintern!“
Meint der Trainer: „Lass das lieber! So, wie du heute drauf bist, triffst du den auch nicht!“

Bob sitzt beim Fußballendspiel auf einem der teuersten und besten Plätze. Der Mann neben ihm fragt: „Wie bist denn du zu dieser teuren Eintrittskarte gekommen?"
„Das verdanke ich meinem Vater."
„Und wo ist dein Vater?"
„Der ist zu Hause."
„Warum ist er daheim geblieben?"
„Ganz einfach, er sucht seine Karte."

Fragt Justus: „Sag mal Peter, wie ist denn das Fußballspiel Deutschland gegen Spanien ausgegangen?"
Peter: „Null zu Null."
Justus gedankenverloren: „Und wie war der Stand zur Halbzeit?"

Peter sitzt im Fußballstadion und spricht ständig mit sich selbst. Justus kann es bald nicht mehr ertragen und fragt ihn genervt: „Warum sagst du denn dauernd ‚2.000 Zuschauer, 22 Spieler, drei Schiedsrichter und zwei Trainer'?"
„So viele Menschen sind hier im Stadion – und der Vogel hat ausgerechnet mir auf den Kopf gemacht!"

„Und dein Fachgebiet ist Fußball?", fragt der Showmaster. „Genau", antwortet Justus. „Prima, dann habe ich die perfekte Frage für dich: Wie viele Maschen hat ein Tornetz?"

Eine Fußballmannschaft fliegt nach Amerika. Aus Langeweile beginnen die Jungs, in der Maschine mit dem Ball zu spielen. Der Pilot kann die Maschine kaum noch halten und schickt den Funker nach hinten.
Nach zwei Minuten ist absolute Ruhe.
„Wie hast du denn das gemacht?", will der Pilot wissen.
„Na ja", meint der Funker.
„Ich habe gesagt: Jungs, es ist schönes Wetter draußen, spielt doch vor der Tür!"

„Haben sie drei Sekunden Zeit?“, fragt ein Zuschauer den Schiedsrichter nach Spielschluss. Dieser nickt zustimmend. „Dann erzählen Sie mir mal alles, was Sie über Fußball wissen!“

„Herr Doktor, mir wird ständig gelb und rot vor Augen“, klagt der Fußballer. Darauf der Arzt: „Vielleicht sollten Sie mal den Schiedsrichter wechseln!“

Fragt der Lehrer: „Welche Muskeln werden beansprucht, wenn ich boxe?“ Daraufhin Peter: „Meine Lachmuskeln!“

Tante Mathilda und eine Freundin sitzen am Boxring. Plötzlich geht einer der Boxer zu Boden. Sofort fängt der Ringrichter an zu zählen. Sagt Tante Mathilda: „Der steht nicht auf! Den kenn ich aus der Straßenbahn!“

Zwei Fußgänger treffen sich an der Ampel. Fragt der eine den anderen: „Sagen Sie mal, sind Sie lebensmüde? Warum gehen Sie denn bei Rot?“ Darauf schlägt der andere sich an die Stirn: „Ach, ich Trottel! Eine dumme Angewohnheit, ich bin Fußballer!“

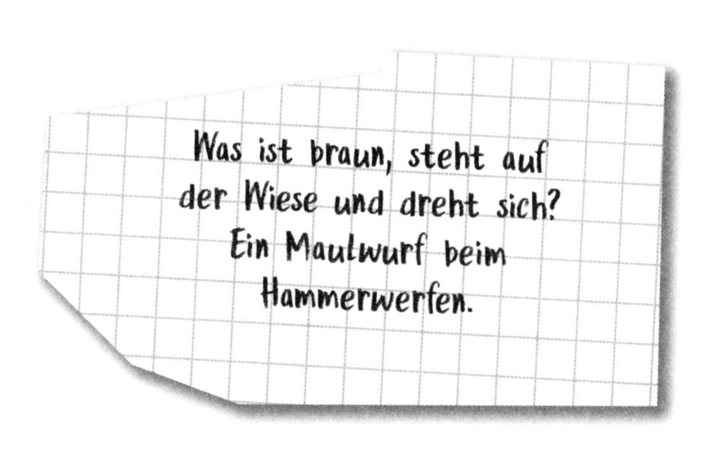

Im Trainingslager ist eingebrochen worden. Kommissar Reynolds wird gerufen. Er fragt einen 100-Meter-Läufer: „Haben Sie denn nicht versucht, den Kerl einzuholen?“ „Oh ja“, antwortet der Läufer, „ich habe ihn sogar überholt und bin eine ganze Zeit lang in Führung geblieben, aber als ich mich umgedreht habe, war er plötzlich weg!“

„Gegen dein Übergewicht hilft leichte Gymnastik“, sagt der Doktor zu Justus.
„Sie meinen Liegestütze und so?“
„Nein, es genügt ein Kopfschütteln, wenn man dir etwas zu essen anbietet.“

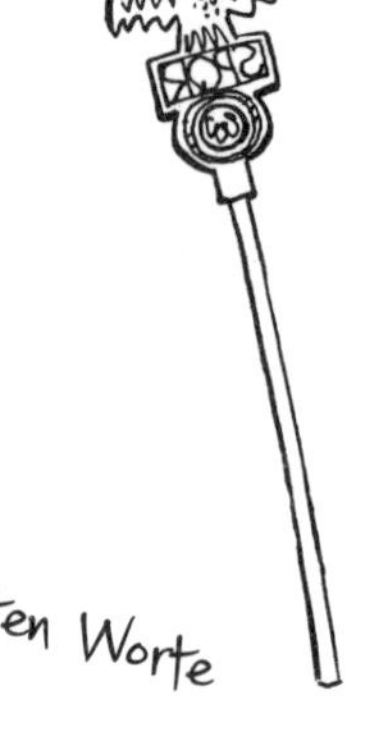

Was ist der brutalste Sport der Welt? Fußball – da wird geköpft und geschossen!

Was waren die letzten Worte des Sportlehrers? „Alle Speere zu mir!“

Beim Sportunterricht liegen alle auf dem Rücken und fahren Rad. „He Justus! Warum machst du nicht mit? Du liegst ja ganz ruhig da!“, schimpft der Lehrer.
„Sehen Sie nicht. Ich fahre gerade bergab!“

„Der Weg von der Kabine zum Ring ist aber weit!", beschwert sich der Boxer.
„Das macht nichts", tröstet ihn sein Trainer, „zurück wirst du ja sowieso getragen."

Der Fußballer fragt den Schiedsrichter:
„Wie heißt denn Ihr Hund?"
„Ich habe keinen Hund ..."
„Oh, das tut mir aber leid. Blind und keinen Hund."

Der Mittelstürmer humpelt vom Fußballplatz. Besorgt kommt ihm der Trainer entgegen und fragt: „Schlimm verletzt?"
Der Mittelstürmer: „Nein, mein Bein ist nur eingeschlafen!"

Es regnet wie aus Kübeln. Der Fußballplatz ist vollkommen überschwemmt. Trotzdem soll das Spiel stattfinden. Vor dem Anpfiff fragt der Kapitän seine Mannschaft: „Und? Sollen wir zuerst mit oder gegen die Strömung spielen?“

Peter fährt Fahrrad. Sein Schutzblech klappert fürchterlich laut. Da ruft der Nachbar aus dem Fenster: „Du, Peter! Dein Schutzblech klappert.“ Peter ruft zurück: „Ich kann Sie nicht verstehen, mein Schutzblech klappert so laut!“

Peter kommt vom Fußball nach Hause und erzählt stolz: „Ich habe heute zwei Tore geschossen!“
„Das ist ja toll! Und wie ist das Spiel ausgegangen?“, fragt sein Vater.
„1:1“

Was sagt ein Hai, nachdem er einen Surfer gegessen hat?
„Nett serviert, sogar mit Frühstücksbrettchen!"

Der Lehrer ist empört: „Paul, ich glaube es ja nicht! Heute Morgen erzählst du mir, du kannst nicht zur Schule kommen, weil du deinen Bruder im Krankenhaus besuchen musst, und jetzt treffe ich dich hier vor dem Fußballstadion?"
„Ja, ich werde meinen Bruder auch heute noch im Krankenhaus besuchen müssen – er ist nämlich der Schiedsrichter!"

„Peter, warum kannst du denn nur 30-mal mit einem Ball jonglieren", fragt Justus. „Ich kann das eigentlich viel öfter", antwortet Peter, „aber ich werde jedes Mal vom Angriff der gegnerischen Mannschaft gestört."

Bobs
Reporter-witze
A-B
C-Z

Tante Mathilda liest laut die Schlagzeile der Zeitung: „Polizei sucht raffinierten Trickbetrüger!"
Sie lässt die Zeitung sinken. „Verstehe ich nicht", meint sie zu Onkel Titus. „Wozu braucht man bei der Polizei bloß einen Betrüger?"

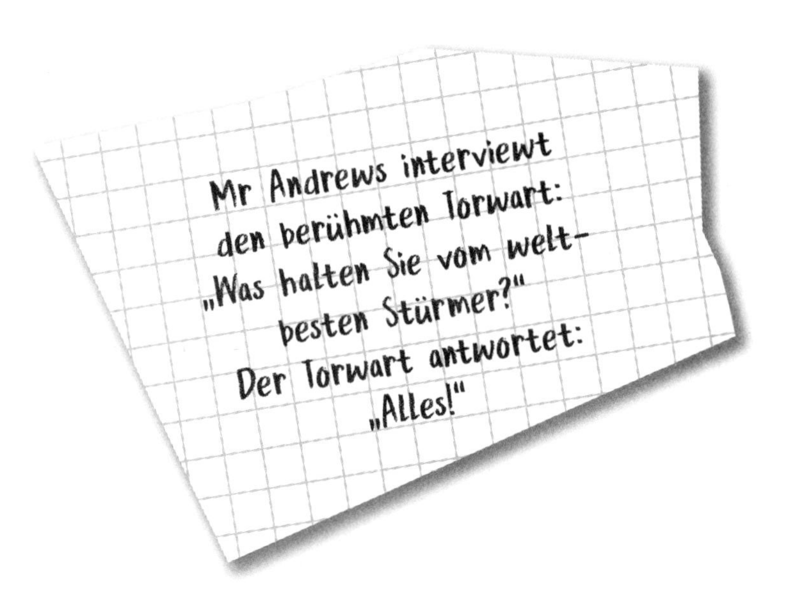

Nach dem Banküberfall fehlen im Tresor zwei Millionen. Sagt der Bankdirektor zu Mr Andrews: „Schreiben Sie, es seien drei Millionen erbeutet worden, dann hat der Kerl wenigstens einen Riesenkrach zu Hause."

Der Lotto-Jackpot wurde geknackt.
Mr Andrews fragt den glücklichen Gewinner:
„Und was machen Sie jetzt mit den 34 Millionen Dollar?"
„Schulden bezahlen!" antwortet er.
„Und was ist mit dem Rest?"
„Den zahle ich später."

„Sag mal, Peter, hat dir
deine Mutter eigentlich schon
mal die Leviten gelesen?"
„Nein. Die langweilt mich jeden
Abend mit Grimms Märchen!"

„Mama, in der Zeitung steht,
das Theater sucht Statisten.
Was ist das?"
„Statisten sind Leute, die
nur rumstehen und nichts
zu sagen haben."
„Wäre das nichts für Papa?"

Der Briefträger ist sauer, weil er wegen einer Ansichtskarte zum Leuchtturm rausrudern muss: „Post für dich, Jan."
„Sei bloß vorsichtig. Wenn du maulst, abonniere ich die Tageszeitung."

Ein Schäferhund trifft seinen Kumpel in der Stadt. Der kommt schwer beladen mit Einkaufstaschen daher. „Mein Gott, was schleppst du denn da alles?" Knurrt der Andere: „Es begann alles damit, dass ich ab und zu die Zeitung holte."

Justus, Peter und Bob gehen im Park spazieren. Meint Peter: „Ich möchte gerne wissen, was das für ein Denkmal hier ist!"
„Weiß ich auch nicht. Aber wenn du es wissen willst, dann schlag ihm doch einfach die Nase ab!", schlägt Justus vor.
„Wieso denn das?", meint Peter verwundert.
„Dann kannst du es morgen in der Zeitung lesen!"

Peter kommt von seiner ersten Fahrstunde nach Hause und fragt seine Eltern: „Soll ich euch erzählen, was mir passiert ist, oder wollt ihr es lieber morgen in der Zeitung lesen?"

Ein Zeitungsjunge läuft schreiend durch die Straßen: „Riesenschwindel! Riesenschwindel! Schon 98 Opfer!“
Mr Shaw kauft die Zeitung, überfliegt sie und rennt dem Burschen nach: „Kein Wort wahr von deinem Riesenschwindel!“
Der Junge schreit: „Riesenschwindel! Riesenschwindel! Schon 99 Opfer!“

Mr Andrews interviewt einen Brieftaubenzüchter: „Können Sie denn von der Brieftaubenzucht leben?"
Antwortet der Züchter: „Sehr gut sogar! Morgens verkaufe ich zwanzig und abends sind sie wieder da."

Mr Andrews interviewt einen Hundertjährigen: „Haben Sie noch irgendwelche Sorgen?" Antwortet der Hundertjährige: „Nein, keine mehr, seit mein jüngster Sohn endlich einen Platz im Altenheim bekommen hat."

Mr Andrews interviewt einen Drittklässler: „Weißt du, was ein Sattelschlepper ist?"
Antwortet der Drittklässler: „Ein Cowboy der kein Pferd mehr hat."

Tante Mathilda wundert sich über Onkel Titus: „Sag mal, warum nimmst du denn jetzt um zehn Uhr abends noch ein Bad?“
„Weil ich einen Apfel essen will.“
„Ja, aber das hat doch nichts miteinander zu tun!“
„Doch! Ich habe heute Morgen erst wieder in der Zeitung gelesen, dass man Obst keineswegs ungewaschen essen soll!“

Tante Mathilda und Onkel Titus lesen Zeitung. „Hier steht, dass Fernsehgeräte aus China nur halb so teuer sind wie amerikanische“, sagt Onkel Titus.
Tante Mathilda winkt ab: „Aber was sollen wir denn mit einem chinesischen Fernseher anfangen? Da verstehen wir doch kein Wort!“

Tante Mathilda liest Zeitung. „Wusstest du“, fragt sie Onkel Titus, „dass Maulwürfe jeden Tag so viel fressen, wie sie wiegen?“
Da fragt Onkel Titus: „Und woher wissen die Maulwürfe, wie viel sie gerade wiegen?“

Treffen sich zwei Freundinnen mal wieder beim Bäcker. Fragt die eine: „Was macht denn dein Mann so?“
„Der schreibt seit einem halben Jahr an einem Buch“, erwidert die andere stolz.
„Seit einem halben Jahr?“, fragt die andere. „Wäre es da nicht viel einfacher, er kauft sich endlich eins?“

„Wissen Sie", erklärt Justus, „ein Freund von mir ist Schriftsteller und für seinen Geburtstag suche ich ein passendes Geschenk."
„Wie wäre es mit einem Papierkorb?"

Bob fragt seinen Vater, der gerade an einer Theaterkritik für die Los Angeles Post schreibt: „Und, was wirst du über das Stück schreiben?"
„Ich werde schreiben: ‚Das Publikum raste ...!'"
„Wow, vor Begeisterung?"
„Nein, nach Hause!"

„Unser Hund lügt wie gedruckt!“,
behauptet Justus.
Bob glaubt ihm nicht.
Justus: „Ich kann es dir beweisen:
Bello, wie macht die Katze?“
„Wau, wau!“
„Siehst du!“

Das Fernsehteam will Aufnahmen im Raubtierkäfig machen. „Keine Angst, die Löwen wurde mit der Flasche aufgezogen“, beruhigt der Tierpfleger den Kameramann.
„Ich auch“, antwortet der Kameramann, „aber heute esse ich trotzdem Steaks!“

Der junge Redakteur bittet seinen Chefredakteur um eine Gehaltserhöhung: „Mit meinem jetzigen Gehalt kann ich wirklich keine großen Sprünge machen.“
Antwortet der Chef: „Ich habe Sie schließlich als Redakteur eingestellt und nicht als Känguru.“

„Der neue Computer kann so gut wie alles“,
erklärt der Chef seinen Mitarbeitern.
Da fragt die Sekretärin:
„Kann er auch Kaffee kochen?“

Sagt ein Radioreporter zu einem Hundertjährigen:
„Worauf führen Sie Ihr hohes Alter zurück?“
„Hauptsächlich auf die Tatsache, dass ich vor hundert Jahren geboren wurde.“

Mr Andrews fragt in der Buchhandlung nach einem Lexikon.
„Dieses hier kann ich Ihnen empfehlen“, sagt die Verkäuferin, „es nimmt Ihnen die Hälfte der Arbeit ab.“
„Prima, dann hätte ich gerne zwei!“

„Ich lasse mich nicht gerne fotografieren."
„Warum denn nicht?"
„Ich sehe mir auf keinem Foto ähnlich."
„Mensch, dann sei doch froh!"

Onkel Titus ruft bei der Zeitung an und lässt sich mit einem Wetterkundler verbinden: „Sie und Ihre Vorhersagen!“, schimpft er. „Ihre leichte Schauerneigung wird gerade von der Feuerwehr aus meinem Keller gepumpt!“

Treffen sich Justus und Peter.
„Und, wo macht ihr dieses Jahr Urlaub?“
„In Sicht!“
„Das habe ich noch nie gehört. Wo ist denn das?“
„Das muss ich auch noch rausfinden. Aber den Tipp habe ich aus dem Radio. Da haben sie gesagt: ‚Schönes Wetter in Sicht‘!“

Mr Andrews kommt nach einer Dienstreise wieder nach Hause.
„Ich habe gehört“, meint Bob, „du hast dem US-Präsidenten die Hand geschüttelt?“
„Ja, das stimmt“, antwortet Mr Andrews. „Prahlt er etwa damit herum?“

Eines Tages gibt der Fernseher seinen Geist auf. Mr Shaw sieht sich im Zimmer um und meint erstaunt: „Mensch Peter, bist du groß geworden!“

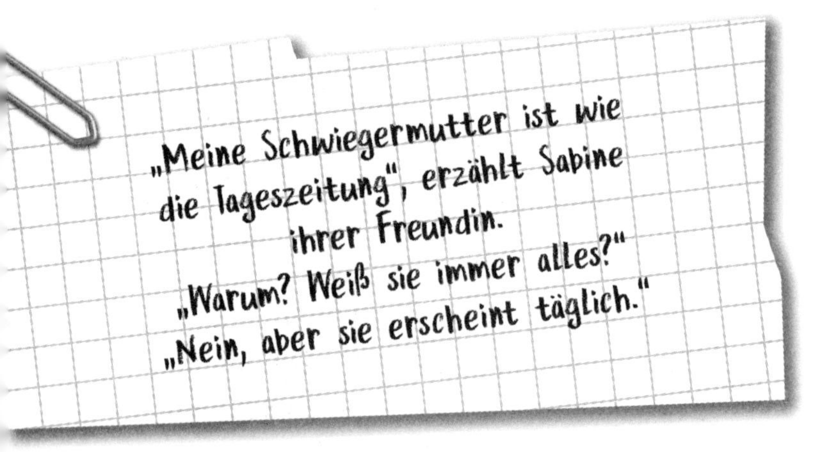

Mr Shaw blickt von seiner Zeitung auf und sagt zu seiner Frau: „Hier steht, dass auch berühmte Männer oft ganz unbedeutende Väter haben."
„Was für ein Glück, da hat Peter ja noch gute Chancen."

Zwei ehrgeizige Hundehalter unterhalten sich.
„Mein Hasso kann schon Zeitung lesen!", erzählt der eine.
„Ja, ich weiß", meint der andere, „mein Bello hat es mir schon erzählt."

„Warum sprühst du deinen Computer mit Desinfektionsmittel ein?"
„Damit er keinen Virus bekommt!"

„Ist Ihre Arbeit eigentlich schwer?“, wird ein Beamter von Mr Andrews gefragt.
„Nein“, gesteht der Beamte, „aber sie ist doch ein Störfaktor zwischen Kur, Nachkur, Urlaub, Feiertagen, Wochenenden, Betriebsausflügen, ...“

Verkehrsunfall!
Das Opfer liegt bewusstlos auf dem Boden. Ein Reporter kommt wegen der vielen Leute nicht durch. Clever, wie er ist, ruft er: „Lasst mich durch, der Verletzte ist mein Vater!“ Sofort macht die Menge Platz – und der Reporter steht vor einem Esel.

Mr Andrews interviewt den Fußball-Superstar:
„Können Sie sich an ihr schönstes Tor erinnern?“
Antwortet der Fußballer:
„Ja, das Eingangstor zu meiner Villa auf Mallorca!“

Zwei bekannte Fernsehautoren unterhalten sich. „Ärgerlich“, sagt der eine, „gestern hat mein dreijähriger Sohn mein letztes Manuskript zerrissen.“ Darauf der Andere: „Erstaunlich, so jung und kann schon lesen!“

Mr Andrews interviewt den Politiker: „Was sagten Sie doch neulich in Ihrer großen Rede über die Arbeitslosigkeit?“
Antwortet der Politiker: „Ich? Nichts!“
„Natürlich, ich wollte nur wissen, wie Sie es formuliert haben.“

„Was kann man bloß tun, damit meine Werke mehr Verbreitung finden?“ klagt der Schriftsteller verzweifelt. „Kein Problem“, ist die Antwort des Freundes, „lass uns doch einfach Konfetti draus machen!“

Ein Astronaut bereitet sich auf seinen Start vor. Kurz bevor er die Raumfähre betritt, gibt er das Abschlussinterview. Mr Andrews stellt ihm die obligatorische Frage:
„Wie fühlen Sie sich?"
Der Astronaut schweigt einen Augenblick, seufzt dann und erwidert: „Ja, wie soll ich mich fühlen? Ich weiß, dass ich auf 100.000 Teilen sitze, die alle von den Firmen stammen, die das niedrigste Angebot dafür gemacht haben …"

Pressekonferenz im Parlament. Mr Andrews fragt den Politiker: „Glauben Sie, dass es auf dem Mond Leben gibt?"
„Aber natürlich, da brennt doch jeden Abend Licht!"

Die Käfer spielen gegen die Elefanten. Die Elefanten führen 8:0. Dann wechseln die Käfer. Der Tausendfüßler kommt rein. Der Tausendfüßler schießt sofort zwölf Tore. Nach dem Spiel fragt der Reporter den Trainer der Käfer: „Warum haben Sie den Tausendfüßler denn nicht eher spielen lassen?"
Der Trainer: „Der braucht doch immer so lange um seine Schuhe anzuziehen!"

Der berühmte Komponist wird interviewt.
„An meinem Wiegenlied habe ich fast drei Jahre gearbeitet“, sagt er ins Mikrofon.
„Warum so lange?“, wundert sich Mr Andrews.
„Weil ich dabei immer eingeschlafen bin.“

Mr Andrews wird von einem Polizisten vehement daran gehindert, den abgesperrten Tatort zu betreten. „Lassen Sie mich näher ran“, protestiert der Reporter, „ich muss eine Sensationsstory darüber schreiben!“
„Bleiben Sie gefälligst hinter der Absperrung“, weist der Polizist ihn zurecht, „was passiert ist, können Sie doch morgen in der Zeitung lesen!“

Mr Andrews macht eine Umfrage und fragt Mr Schlaumeier: „Was glauben Sie, ist das größte Problem der heutigen Gesellschaft: mangelndes Wissen oder mangelndes Interesse?“
Mr Schlaumeier zuckt mit den Schultern: „Weiß ich nicht, und ist mir auch egal!“

Mr Andrews fragt den Fußball-Trainer: „Was empfinden Sie, wenn Ihre Mannschaft gewinnt?“

„Das kann ich noch nicht sagen“, antwortet der Trainer, „ich trainiere die Mannschaft erst in der zweiten Saison.“

Ein alter Mann feiert seinen 100. Geburtstag. Die Los Angeles Post schickt Mr Andrews vorbei. Er führt ein Interview und will wissen, wie der Mann so alt werden konnte.

„Oh, bitte kommen Sie in ein paar Tagen wieder. Ich verhandle noch mit einer Brauerei, mit dem Molkereiverband, den Vegetariern und dem Sportverein.“

Fragt Bob seinen Vater: „Was ist eigentlich eine Zeitungsente?“

„Tja, weißt du, wenn du in der Zeitung liest, ein Pferd hätte fünf Fohlen bekommen, dann sind vier davon Enten.“

„Meine Mannschaft zeichnet sich besonders durch ihre Erfahrung aus“, erklärt der Trainer Mr Andrews im Interview. „Das freut mich zu hören, aber warum setzt sie diese Erfahrung nie ein, um zu gewinnen?“

Mr Andrews interviewt den Trainer einer Mannschaft, die schon wieder absteigt:
„Was ist schöner für Sie: ein Sieg oder Weihnachten?“
„Weihnachten, denn das gibt es öfter.“

Mr Andrews führt ein Interview mit einem berühmten Trainer. Als er in dessen Büro vorgelassen wird, ist er total aufgeregt und geht mit den Worten auf ihn zu: „Mr Trainer, ich habe schon so viel von Ihnen gehört.“ Darauf der Trainer: „Aber beweisen können Sie mir nichts!“

Tante Mathilda sieht sich in einem Geschäft nach einem neuen Fernseher um. Der Verkäufer möchte sie gerne beim Kauf beraten und fragt: „Was für ein Modell soll es denn sein?"
Tante Mathilda antwortet: „Das ist mir wirklich gleichgültig. Hauptsache, der Fernseher strahlt keine Fußballsendungen aus."

Nachdem der Torwart einen Ball durchgelassen hat, fragt ihn Mr Andrews nach dem Spiel:
„Warum haben Sie den Ball denn nicht gehalten?"
Der Torwart antwortet ehrfürchtig: „Er hat zu mir gesprochen."
„Was hat er denn gesagt?"
„Lass mich durch, ich bin Arzt!"

Nach dem verlorenen Viertelfinale sagt der Trainer der Presse: „Wir wollten ein Vorbild für alle Fans sein – wir schlagen niemanden mehr!"

Mr Andrews, der als Sportjournalist arbeitet, wird gefragt, was ihm an seinem Beruf besonders gut gefällt. Er überlegt kurz und antwortet dann: „Man sagt freitags voraus, welche Mannschaft am Sonntag gewinnen wird, um sonntags zu erklären, warum sie verloren hat."

Der Trainer eines großen Fußballvereins gibt eine Pressekonferenz. Mr Andrews stellt ihm eine Frage: „Wie sieht ihrer Meinung nach die Zukunft ihres Top-Stürmers aus?" Der Trainer antwortet: „Also für fünf Millionen Dollar kann er eigentlich gehen! Haben Sie noch weitere Fragen?"
„Wie viel Millionen Dollar müssen Sie ihm bieten, damit er anfängt zu laufen?"

Peter kommt in die Kaffeekanne gestürmt.
„Mensch, Justus! Mach den Fernseher an!
Da spielt meine Lieblingsmannschaft!"
Antwortet Justus gelangweilt: „Na und?
Hat die nicht erst letzte Woche gespielt?"

„Sind eigentlich alle Fußballspieler eingebildet?", fragt Mr Andrews einen bekannten Fußballspieler.
„Allerdings, ich kenne mindestens zehn Spieler unserer Mannschaft, die sich einbilden, besser zu sein als ich."

Mr Andrews interviewt nach dem Spiel den Fußballer: „Sie waren überall, nur nicht da, wo der Ball war. Dort, wo das runde Leder war, stand immer ein Gegenspieler."
Der Fußballer wehrt ab: „Ich habe mich nur an die taktischen Vorgaben unseres Trainers gehalten: Ball und Gegner laufen lassen!"

Stolz berichtet der Fußballtrainer Mr Andrews im Interview: „Unser neuer Mittelstürmer hat Kondition für zwei."
Mr Andrews fragt nach: „Für zwei Spiele?"
„Nein, für zwei gut bezahlte Autogrammstunden."

Onkel Titus und Tante Mathilda fahren über die Autobahn. Plötzlich kommt eine Radiodurchsage: „Achtung, auf der A45 kommt Ihnen ein Geisterfahrer entgegen."
„Die haben ja keine Ahnung", ruft Onkel Titus, „nicht ein Geisterfahrer, Hunderte!"

Die liebe Familie
mit Tante Mathilda

Tante Mathilda bestellt in einem
Restaurant Hähnchen.
„Tut mir leid“, sagt der Kellner.
„Die Hähnchen sind ausgegangen.“
Da fragt Tante Mathilda: „So?
Wann kommen sie denn wieder zurück?“

Justus macht einen Kaffee für Onkel Titus.
Es bleibt heißes Wasser übrig.
Justus fragt: „Was soll ich mit dem
restlichen Wasser machen?“
Onkel Titus: „Einfrieren!
Heißes Wasser kann man
immer gebrauchen.“

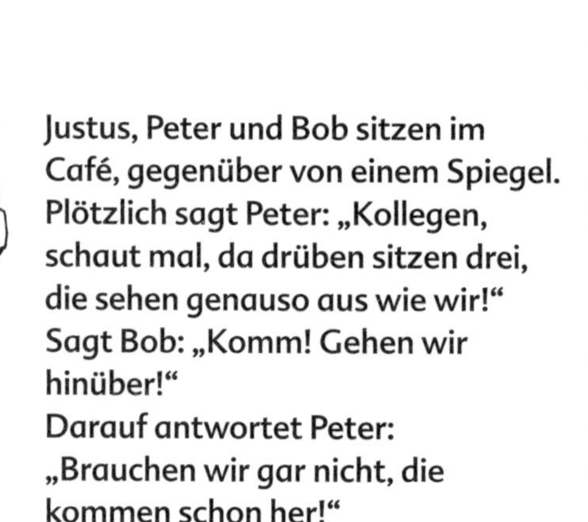

**Justus, Peter und Bob sitzen im
Café, gegenüber von einem Spiegel.
Plötzlich sagt Peter: „Kollegen,
schaut mal, da drüben sitzen drei,
die sehen genauso aus wie wir!“
Sagt Bob: „Komm! Gehen wir
hinüber!“
Darauf antwortet Peter:
„Brauchen wir gar nicht, die
kommen schon her!“**

„Noch einen Kaffee auf den Weg?“
„Gern. Kippen Sie ihn doch einfach hier drüben hin.“

Onkel Titus bestellt nun schon den zehnten Kaffee. Da fragt der Kellner: „Haben Sie eigentlich nie Probleme beim Einschlafen, wenn Sie so viel Kaffee trinken?“
„Och, mit dem Einschlafen ist das immer so: Ich zähle bis drei, und dann schlaf ich meistens.“
„Sie zählen bis drei?“
„Na ja, manchmal auch bis halb vier ...!“

„Wenn ich Kaffee trinke, kann ich nicht schlafen."
„Bei mir ist das genau umgekehrt. Wenn ich schlafe, kann ich keinen Kaffee trinken."

Was ist der Unterschied zwischen einem Elefanten und einem Keks?
Versuche mal einen Elefanten in den Kaffee zu tunken!

Mr Andrews sitzt zu Hause beim Frühstück. Er löffelt gerade das zweite Ei, nimmt noch eine zweite Tasse Kaffee und liest seit mehr als einer Stunde geistesabwesend seine Morgenzeitung. Schließlich fragt ihn Bob: „Sag mal musst du heute nicht in die Redaktion?" Mr Andrews fährt erschrocken hoch und stöhnt: „Ach du meine Güte, ich dachte, ich wäre schon lange dort!"

Tante Mathilda kommt zum Arzt und sagt: „Herr Doktor, Sie müssen mir das Treppensteigen wieder erlauben. Dieses ewige rauf und runter an der Dachrinne macht mich fix und fertig!"

Justus geht mit Tante Mathilda spazieren. Da liegt ein 20-Dollar-Schein auf dem Boden. Tante Mathilda sagt zu Justus: „Was auf dem Boden liegt, hebt man nicht auf!"
Zwei Straßen weiter sieht Justus einen 50-Dollar-Schein auf dem Boden liegen. Wieder sagt Tante Mathilda: „Was auf dem Boden liegt, hebt man nicht auf!"
Sie gehen wieder weiter.
Dann liegt eine Bananenschale auf dem Boden und Tante Mathilda rutscht aus. Sie sagt zu Justus: „Hilf mir mal hoch!" Aber Justus grinst und antwortet nur: „Aber Tante Mathilda du hast doch gesagt: Was auf dem Boden liegt, darf man nicht aufheben!"

„Du, Tante Mathilda, schmeckt dir das Bonbon?“
„Ja, danke Justus, es schmeckt mir sehr gut.“
„Das ist aber komisch, der Hund hat es immer wieder ausgespuckt.“

Justus steht mit Tante Mathilda vor einem Freigehege.
„Ein schönes Pferd!“, meint Tante Mathilda. „Was denkst du, was es sagen würde, wenn es sprechen könnte?“
Sagt Justus: „Ich bin ein Esel!“

Sagt Peters Opa: „Du darfst dir zu Weihnachten von mir ein schönes Buch wünschen!“
Antwortet Peter: „Fein, dann wünsche ich mir dein Sparbuch.“

Sagt die Oma zu ihrer Enkeltochter: „So, jetzt mach mal den Krimi aus. Du sollst dir nicht immer so brutales Zeug im Fernsehen anschauen. Komm, ich erzähl dir das Märchen, in dem Hänsel und Gretel die Hexe im Ofen verbrennen.“

Sitzt im Zug ein Geschäftsmann mit einer älteren Oma im gleichen Abteil. Da zieht die Oma einen Beutel mit Haselnüssen aus der Tasche und bietet dem Geschäftsmann welche an. Der greift natürlich gern zu und isst ein paar.
So geht das mehrere Tage. Nach einer Woche sagt der Geschäftsmann: „Ich kann doch nicht Ihre ganzen Nüsse essen. Sie haben doch sicher nur eine kleine Rente. Wo haben Sie denn die Nüsse immer her?“
Darauf antwortet die Oma: „Ach wissen Sie, ich esse ja diese Nussschokolade für mein Leben gern. Nur die Nüsse, die kann ich einfach nicht mehr beißen.“

Die Enkelin besucht wieder einmal ihre Großmutter.
„Wie geht's dir, mein Kind?", fragt die Oma.
„Mir geht es prima, Oma! Nur mit deiner Tochter habe ich fast jeden Tag irgendein Problem."

Lehrer zum Schüler: „Sag deinem Großvater, er soll morgen zu mir in die Schule kommen."
„Nicht mein Vater?"
„Nein, ich möchte deinem Großvater zeigen, wie viele Fehler sein Sohn bei deinen Hausaufgaben gemacht hat."

„Die Schmerzen in Ihrem linken Bein sind altersbedingt", sagt der Arzt zu Onkel Titus.
„Das kann nicht sein! Mein rechtes Bein ist genauso alt und tut nicht weh!"

„Warum gibst du denn unseren Hühnern Kakao zu trinken?“, fragt die Oma ihren Enkel. Der antwortet: „Na, wie sollen die Hühner denn sonst die Schokoladeneier legen?“

„Ach Opa, die Trommel von dir war wirklich mein schönstes Weihnachtsgeschenk.“
„Tatsächlich?“, freut sich Opa.
„Ja, Papa gibt mir jeden Tag fünf Dollar, wenn ich nicht darauf spiele!“

„Eine Erziehung ist das heutzutage“, wettert Onkel Titus in der Straßenbahn. „Was wollen Sie eigentlich. Der Junge dort hat Ihnen doch gleich Platz gemacht.“
„Ja, das stimmt, aber sehen Sie nicht, dass meine Frau immer noch steht.“

Vater, Mutter, Oma und Tochter sitzen beim Essen. Es gibt Bratwurst mit Beilagen.
Tochter: „Mama, warum schneidest du an der Wurst immer die beiden Enden ab?“
Mama: „Das habe ich von meiner Mutter, die hat das auch immer so gemacht.“
Tochter: „Oma, warum hast du früher an der Wurst immer die beiden Enden abgeschnitten?“
Oma: „Das weiß ich jetzt auch nicht mehr, aber meine Mutter hat das immer so gemacht.“
Vater: „Also, das will ich jetzt wissen. Morgen fahren wir ins Seniorenheim und fragen sie!“
Am nächsten Tag im Seniorenheim.
Oma: „Mama, warum hast du früher an der Wurst immer beide Enden abgeschnitten?“
Ur-Oma: „Macht ihr das denn immer noch?“
Oma: „Na, ja.“
Ur-Oma: „Mein Gott, kocht ihr immer noch mit der alten Pfanne?“

Eisbärenmama und Eisbärenbaby sitzen auf einer Eisscholle.
Eisbärenbaby: „Bist du ein richtiger Eisbär?"
Eisbärenmama: „Ja, mein Kind."
Eisbärenbaby: „Und Papa, ist der auch ein richtiger Eisbär?"
Eisbärenmama: „Ja, mein Kind."
Eisbärenbaby: „Und Oma und Opa, sind das auch richtige Eisbären?"
Eisbärenmama: „Ja, mein Kind, aber warum fragst du?"
Eisbärenbaby: „Weil mir so kalt ist!"

Tante Mathilda zeigt dem Kontrolleur die Fahrkarte. „Das ist ja eine Kinderfahrkarte meine Dame“, stellt der Kontrolleur fest.
Antwortet Tante Mathilda: „Na, da können sie mal sehen, wie lange ich auf diese Bahn warten musste!“

„Weil du so brav bist, darfst du dir aus der Tüte eine Hand voll Bonbons nehmen“, sagt Onkel Titus zu Justus.
„Onkel Titus, kannst du sie mir nicht rausnehmen“, bittet Justus.
„Wieso kannst du das nicht selbst?“, fragt Onkel Titus.
„Könnte ich – aber deine Hand ist viel größer als meine!“

Tante Mathilda und Onkel Titus besuchen eine Ballett-Aufführung. „Und wie war es?“, fragt Justus am nächsten Morgen. Antwortet Tante Mathilda: „Es war sehr schön. Die höflichen Tänzerinnen haben sogar extra auf den Zehenspitzen getanzt, nachdem Onkel Titus eingeschlafen war.“

Panisch meint Onkel Titus zum Doktor: „Ich hatte seit Tagen keinen Stuhl!"
Arzt: „Dann setzen Sie sich doch erst mal."

Peters Opa sitzt im Wartezimmer des berühmten Doktors. Kommt die Sprechstundenhilfe und sagt: „Die Sprechstunde fällt heute leider aus!"
Peters Opa rührt sich nicht und die Sprechstundenhilfe wiederholt ihre Ansage – nur deutlich lauter.
Wieder reagierte der alte Mann nicht. Also beginnt die Sprechstundenhilfe die Worte laut zu schreien.
Wieder passiert nichts.
Die Sprechstundenhilfe ist ratlos und schreibt Peters Opa die Ansage auf einen Notizzettel. Er schaut auf und sagt: „Mist, ausgerechnet heute habe ich meine Brille vergessen. Sie müssen mir das vorlesen."

Peter freut sich über die Wasserpistole, die ihm sein Opa zum Geburtstag geschenkt hat. Froh läuft er zum Waschbecken, um sie aufzufüllen.
Sein Vater ist weniger erfreut darüber:
„Vater, hast du etwa vergessen, wie sehr du diese Dinger immer gehasst hast?"
Da schmunzelt er und meint: „Nein, das habe ich nicht vergessen ...!"

Zwei ältere Damen unterhalten sich auf der Parkbank.
„Ich würde so gerne abnehmen. Soll ich dafür nun aber weniger essen oder mich mehr bewegen?"
„Weder noch! Ich kenne eine tolle Diät. Einfach mehr Radio hören!"
Wie soll ich denn da Kilos verlieren?"
„Na ja, ich habe neulich gelesen, dass die Radiohörer seit es das Fernsehen gibt deutlich abgenommen haben!"

Tante Mathilda sitzt zum ersten Mal vor einem Aquarium. Sie schaut begeistert hinein und fragt dann neugierig: „Wie oft muss man die Pflanzen denn gießen?"

Sagt Justus: „Ich würde ja gern eine Weltreise machen – aber Tante Mathildas Kirschkuchen reicht immer nur bis zur Bushaltestelle.“

Treffen der jungen Pfadfinder. Motto des Tages: Jeder muss eine gute Tat vollbringen. Abends treffen sich alle wieder und erzählen ihre guten Taten. Nur Peter fehlt noch. Endlich kommt er. Total zerzaust, zerkratzt und seine Sachen sind zerrissen.
Sagt der Pfadfinderleiter: „Na Peter, was hast du heute für eine gute Tat vollbracht?“
Sagt Peter: „Ich habe einer alten Oma über die Straße geholfen.“
Pfadfinderleiter: „Das ist ja prima, aber warum bist du so zerkratzt?“
Peter: „Die Dame wollte nicht …“

Justus, Peter und Bob spielen auf dem Schrottplatz. Tante Mathilda kommt vorbei. Die drei rufen vergnügt: „Tante Mathilda, du musst mitspielen! Pass auf, wir sind jetzt Bären im Tierpark.“
„Und ich?“
„Du bist die nette alte Dame, die den lieben Bären Pralinen zuwirft.“

Sagt die Uroma zum Uropa: „Du, wollen wir nicht mal wieder ins Kino gehen?“
„Ach, wir waren doch neulich erst.“
„Das stimmt. Aber mittlerweile gibt es sogar Filme mit Ton!“

Tante Mathilda bringt ihre Kuckucksuhr zum Uhrengeschäft und sagt:
„Reparieren Sie bitte diese Uhr!“
„Wieso?“, fragt der Ladenbesitzer. „Kommt der Kuckuck nicht zum Vorschein?“
„Doch, schon. Aber er fragt alle zwanzig Minuten nach der Uhrzeit.“

Bei der Familienfeier gibt Peter ein Konzert. Er sitzt am Klavier und spielt wie ein Verrückter. Eine Stunde, zwei Stunden. Schließlich meint Bob: „Wenn du nicht mehr anhalten kannst, ich glaub, der rechte Hebel ist die Bremse.“

Onkel Titus ist morgens immer reichlich zerstreut. Eines Morgens greift er im Bad statt nach dem Handspiegel nach der Haarbürste seiner Frau und betrachtet sich darin.
„So ein Mist!", ruft er entsetzt. „Da habe ich doch gestern schon wieder vergessen, mich zu rasieren."

Im Altenheim sagt der eine Opa zum anderen Opa:
„Warte, ich muss mal noch eben aufs Klo!"
„Oh, ich muss auch", meint der andere.
„Gehst du für mich mit?"
Nach 20 Minuten kommt der erste Opa zurück und meint empört: „Du alter Lügner, du musstest ja gar nicht ...!"

Der Gärtner sammelt auf der Straße Pferdeäpfel auf.
„Was wollen Sie denn damit?", fragt Peter.
„Die kommen bei mir zu Hause auf die Erdbeeren", erklärt der Gärtner.
„Komisch", wundert sich Peter.
„Wir tun immer Zucker drauf."

„Weil du so brav warst. Schenke ich dir ein neues blankes Ein-Cent-Stück!", sagt Onkel Titus zu Justus.
Antwortet Justus: „Ach, das muss nicht sein. Ein alter zerknitterter Ein-Dollar-Schein tut es auch."

„Opa, warum ist der Elefant so groß?"
„Keine Ahnung"
„Opa, warum hat der Löwe eine Mähne?"
„Weiß ich nicht!"
„Opa, stören dich meine Fragen?"
„Nein, ganz im Gegenteil, frag nur weiter, sonst lernst du ja nichts!"

„Wer streitet bei euch denn so laut?",
fragt der Nachbar Peter.
„Das sind mein Vater und mein Opa."
„Und warum brüllen die so?"
„Die machen gerade meine Hausaufgaben."

Am Sonntag ist die Großtante zu Besuch. Bei Tisch sitzt die Großnichte eine Zeit lang ruhig da und starrt die Tante an. Dann steht sie auf, geht zu ihr hin und leckt mit der Zunge an ihrem Kleid. Ungehalten springt die Großtante auf.
Die Nichte sagt ganz ruhig: „Mama hat recht. Das Kleid ist wirklich vollkommen geschmacklos!"

„Verzeihen Sie,
ich suche den Bahnhof."
„Ich verzeihe Ihnen,
suchen Sie ruhig."

Eine schwangere Frau betritt die Bäckerei: „Ich bekomme eine Erdbeertorte."
Der Bäcker schüttelt den Kopf: „Also Sachen gibt's!"

Sitzen zwei Männer auf einer Parkbank. Kommt ein Wanderer vorbei und fragt nach dem Weg zum Bahnhof – keine Reaktion.
Der Mann wiederholt seine Frage auf Englisch – nichts passiert. Der Mann versucht es auf Französisch, Spanisch und Russisch – wieder keine Antwort. Der Mann stellt seine Frage auf Polnisch, Lettisch, Schwedisch und Italienisch – keine Antwort. Frustriert geht der Wanderer weiter.
Sagt einer der Männer: „Hast du das gehört? Der Kerl konnte neun Sprachen!“
„Und? Was hat es ihm genutzt?“

Die Familie isst im Restaurant. Der Familienvater zum Kellner: „Die Fleischreste, die übriggeblieben sind, packen Sie mir bitte ein. Wir nehmen sie für den Hund mit.“
Jubeln die Kinder: „Toll, Vati kauft uns einen Hund!“

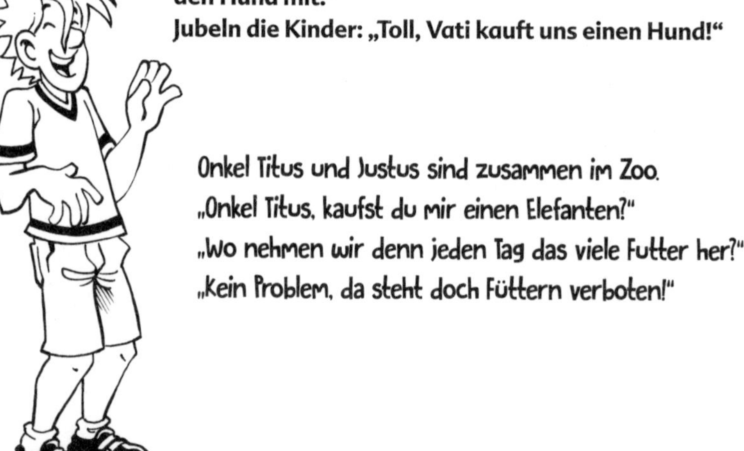

Onkel Titus und Justus sind zusammen im Zoo.
„Onkel Titus, kaufst du mir einen Elefanten?"
„Wo nehmen wir denn jeden Tag das viele Futter her?"
„Kein Problem, da steht doch Füttern verboten!"

Ein Sträfling sitzt im Gefängnis. Einmal besucht ihn der Direktor und sagt: „Mir fällt auf, dass sie nie Besuch haben, haben Sie denn keine Verwandten oder Bekannten?“
„Doch, aber die sind alle schon hier!“

Der Vater sitzt am Bett seines Sohnes und liest ein Märchen vor. „Du Papi“, unterbricht ihn der Sprössling „würde es dir etwas ausmachen, leiser zu lesen, ich möchte schlafen“.

Zwei Babys im Kinderwagen treffen sich.
„Wie bist du eigentlich so mit deiner Mutter zufrieden?“
„Es geht, nur am Berg ist sie ein bisschen langsam!“

Peter kommt nach Hause:
„Ich bin in eine Pfütze gefallen."
„Mit deinen guten Sachen?"
„Ja, es war leider keine Zeit mehr,
mich umzuziehen."

„Du, Papa, stammt der Mensch eigentlich vom Affen ab?", fragt Peter.
Mr Shaw brummt hinter seiner Zeitung hervor: „Du vielleicht. Ich nicht!"

Mr Shaw: „Peter, iss dein Brot auf!"
„Ich mag aber kein Brot!"
„Du musst aber Brot essen, damit du groß und stark wirst!"
„Warum soll ich groß und stark werden?"
„Damit du dir dein Brot verdienen kannst!"
„Aber ich mag doch gar kein Brot!"

„Peter, möchtest du lieber ein Brüderchen oder ein Schwesterchen?"
„Och, wenn es nicht zu schwer für dich ist, möchte ich am liebsten ein Pony."

Arbeitskollege zum stolzen Vater: „Was macht denn ihre kleine Tochter?"
„Oh, die läuft schon seit zwei Wochen!"
„Na, dann müsste sie ja bald in Hamburg sein ...!"

Der stolze Vater prahlt beim Kaffee, wie toll sein einjähriger Sohn schon sprechen kann. „Bubi, sag mal Rhinozeros!" Der Kleine kommt zum Tisch gekrabbelt, zieht sich an der Tischkante hoch, schaut skeptisch in die Runde und fragt: „Zu wem?"

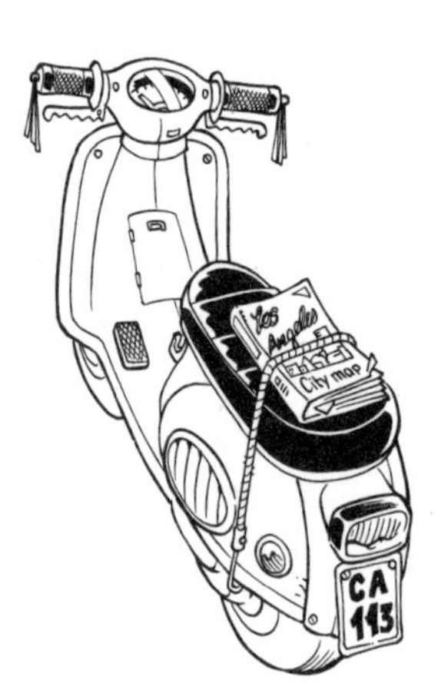

„Papa, stimmt es, dass es Radarfallen gibt?“
„Selbstverständlich, mein Kind.“
„Und wie fängt man einen Radar?“

Mr Shaw sagt: „Peter, dein Lehrer macht sich große Sorgen wegen deiner schlechten Noten!“
„Ach, was gehen uns denn die Sorgen anderer Leute an?“

„Papa, sieh mal, warum lässt denn der Hund da seine Zunge raushängen?“
„Ich weiß auch nicht. Vielleicht ist ihm der Kopf zu kurz.“

Bob kommt mit klatschnassen Haaren ins Zimmer. Sein Vater schimpft: „Ist es denn unbedingt nötig, dass du deinen Fischen jeden Abend einen Gutenachtkuss gibst?“

Ein kleiner Junge führt seine blinde Großmutter im Regen spazieren.
An jeder Pfütze sagt er: „Oma, hüpf!“
Ein Bekannter der Großmutter kommt vorbei und fragt: „Weshalb lässt du denn deine arme Oma hüpfen, auch wenn gar keine Pfützen da sind?“
„Das geht Sie überhaupt nichts an“, sagt der Junge, „das ist meine Oma, und die kann ich hüpfen lassen, sooft ich will.“

„Papa“, berichtet Bob stolz, „ich habe eine Gitarre gebaut!“
„Tüchtig, mein Junge, woher hast du die Saiten?“
„Aus deinem Klavier!“

Die Mutter hat Anja zum zehnten Mal ins Bett geschickt. Mühsam beherrscht sagt sie: „Wenn ich noch einmal das Wort ‚Mami' höre, dann gibt's in den nächsten drei Monaten kein Taschengeld!"
Fünf Minuten später piepst es aus dem Zimmer: „Mrs Miller, könnte ich etwas zu trinken haben?"

„Woher hast du denn das Geld für das Eis?", fragt Tante Mathilda argwöhnisch.
„Das hast du mir doch für die Kirche mitgegeben", antwortet Justus treuherzig.
„Aber dort hat der Eintritt nichts gekostet."

Der Vater zu seiner kleinen Tochter: „Wenn du viel Geld hättest, was würdest du dir dann kaufen?"
„Ein weißes Kleid, einen weißen Mantel, weiße Schuhe und Strümpfe."
„Und dann?"
„Schmeiße ich mich in eine Pfütze."

Nach dem ersten Schultag fragt Mr Andrews seinen Sohn: „Hast du schon etwas gelernt?“ „Ja“, lautet Bobs knurrige Antwort, „alle bekommen mehr Taschengeld als ich!“

Beim Mittagessen sagt Bob zu seinem Vater: „Jetzt habe ich die Möhren genau 18-mal gekaut!“ „Das ist sehr brav!“, sagt der Vater. Bob zieht ein Gesicht und fragt dann weinerlich: „Und was soll ich jetzt damit machen?“

Die beiden Jungs sind mal wieder unmöglich zu Hause. Die Mutter schnappt sich die beiden Streithähne und meint: „Zum Muttertag wünsche ich mir bloß zwei anständige Söhne.“ „Super“, brüllt der eine. „Dann sind wir ja schon vier.“

„Mama, hat uns das kleine Brüderchen der Himmel geschickt?"
„Genau so war's."
„Kann mir schon denken, warum die den Schreihals nicht behalten wollten."

„Mama, wann bekomm ich denn endlich mein Brüderchen?"
„Ach, darf's denn auch ein Schwesterchen sein?"
„Was geht denn schneller?"

„Hast du auch Zahnbürste und Zahnpasta eingepackt?", will Tante Mathilda von Justus wissen, der heute für zwei Wochen mit Peter und Bob ins Zeltlager fährt.
„Zahnbürste und Zahnpasta?", fragt Justus entsetzt, „ich denke, ich fahre in die Ferien?"

Evi sieht immer zu, wenn ihr kleiner Bruder gewickelt wird. Einmal vergisst die Mutter das Puder. „Halt!", sagt Evi, „du hast vergessen ihn zu salzen!"

Justus geht mit drei großen Eistüten in der Hand den Strand entlang. Gerade als er bei Peter und Bob ankommt, rutscht ihm eines aus der Hand und fällt in den Sand.
„Wie schade", sagte er traurig, „jetzt habe ich dein Eis fallen lassen, Peter!"

Beim Museumsbesuch bleiben Onkel Titus und Justus vor einer antiken Statue eines Athleten stehen.
Titel: Der Sieger. Der Plastik fehlen die Nase, Teile des Armes und das Ohr.
„Du liebe Zeit!", ruft Justus, „wie muss dann erst der Verlierer aussehen!"

Die Mutter macht mit ihren Söhnen einen Ausflug mit dem Bus.
Sie fragt den Busfahrer: „Muss ich für die Kinder auch zahlen?"
Meint dieser: „Unter sechs nicht!"
Die Mutter erleichtert: „Gut, ich hab nur zwei!"

„Justus, was soll denn der Regenwurm hier?"
„Wir haben draußen gespielt, und jetzt will ich ihm mein Zimmer zeigen!"

Justus kommt freudestrahlend nach Hause.
Stolz zeigt er Tante Mathilda eine kleine Schachtel: „Onkel Titus hat mir eine Schildkröte gekauft.
Die Verkäuferin hat gesagt, bei guter Pflege wird die fast 200 Jahre alt!"
Darauf Tante Mathilda: „Na, da bin ich aber mal gespannt!"

Zwei stolze Mütter fahren ihre Sprösslinge spazieren. Sie stellen fest, dass die Babys am gleichen Tag geboren wurden.
„Meine Sylvia hat heute ihr erstes Wort gesprochen", meint die eine Mutter stolz.
Da richtet sich das zweite Baby auf und fragt: „Und, was hat die Kleine gesagt?"

Unterhalten sich zwei Mütter vor dem Kindergarten über ihre Kinder.
Fragt die eine: „Wie trinkt Ihr Kleiner denn am liebsten seine Honigmilch?"
„Halb und halb!"
„Das müssen Sie mir aber genauer erklären!"
„Na, ganz einfach: halb in den Mund, halb auf den Pulli!"

„Tante Mathilda, kannst du mir einen Dollar geben für einen alten Mann?"
„Ja, gern, Justus, es freut mich, dass du einem alten Mann helfen willst. Wo ist er denn?"
„Er steht nebenan vor dem Kaufhaus und verkauft Eis."

Tante Mathilda tröstet Justus: „Na, wer wird denn weinen. Was ist denn passiert?"
Justus schluchzt: „Onkel Titus hat sich mit dem Hammer böse auf den Daumen gehauen."
Wundert sich Tante Mathilda: „Deswegen brauchst du doch nicht zu heulen?"
„Zuerst habe ich ja auch gelacht."

„Vielen lieben Dank für dein Geburtstagsgeschenk, Opa."
„Aber das war doch kaum der Rede wert."
„Find ich auch, aber Mami hat gesagt, ich muss mich trotzdem bedanken."

Opa kommt zu Besuch. Stirnrunzelnd sieht er den schmutzigen Jüngsten und fragt streng:
„Wascht ihr euch nicht?"
Sagt der: „Nein, wozu? Wir erkennen uns ja an der Stimme."

„Ich mag keinen Käse mit Löchern", sagt Justus. Darauf antwortet Peter: „Dann iss doch nur den Käse und lass die Löcher liegen!"

Bob hat auf dem Dachboden einen Laufstall entdeckt. Aufgeregt läuft er zu Justus und Peter: „Ich glaube, ich bekomme bald einen Bruder! Meine Eltern haben die Falle schon aufgestellt!"

Peter kommt von der Schule heim und berichtet: „Heute hatte ich ein echt tolles Pausenbrot dabei – ich konnte es für fünf Dollar verkaufen!"

Justus zu Tante Mathilda: „Heute hat uns der Lehrer von der Entfernung der Planeten erzählt." „Interessant. Und womit entfernt man Planeten?"

Die alte Dame steht an einer vielbefahrenen Kreuzung, als Justus vorbeiläuft.
„Junge, könntest du mir bitte über die Straße helfen?“, fragt sie ihn.
„Aber gerne, wir müssen nur warten, bis die Ampel wieder grün wird“, antwortet Justus.
„Na, dann kann ich auch alleine gehen.“

„Hast du arme Verwandte?“
„Ja, aber die kenne ich nicht!“
„Und hast du auch reiche Verwandte?“
„Ja, aber die kennen mich nicht!“

„So! Das wäre geschafft“, sagt Onkel Titus, als er nach langer Suche einen Parkplatz gefunden hat.
„Jetzt müssen wir nur noch herausfinden, in welcher Stadt wir sind!“

Justus hilft Onkel Titus auf dem Schrottplatz. Da passiert es:
Er stößt einen Krug um.
Onkel Titus schimpft: „Das war ein Stück aus dem 15. Jahrhundert!"
„Da bin ich aber froh", seufzt Justus erleichtert. „Ich dachte schon, es wäre etwas Neues."

Justus geht mit Tante Mathilda ins Café.
„Was möchtest du denn haben?",
fragt Tante Mathilda.
„Einen Apfelkuchen oder einen Schokokuss?"
„Aber warum denn oder?"

„Justus, musst du immer so mit der Tür knallen?"
„Nein, Tante Mathilda, ich muss nicht. Das mach ich freiwillig!"

Im Sommer auf der Terrasse.
Tante Mathilda will wissen: „Justus, wie hat dir der Kirschkuchen geschmeckt?"
„Frag nicht mich – frag die Wespen!"

„Justus!", schreit Tante Mathilda aus der Waschküche. „Ich habe eben einen lebenden Frosch in deiner Hosentasche gefunden!"
„Was?", ruft Justus zurück. „Und die Mäuse sind nicht mehr drin?"

„Justus, hast du unser Auto auch wieder schön in die Garage gefahren?", fragt Onkel Titus.
„Ja", antwortet Justus, „zumindest die wichtigsten Teile."

„Justus hast du nicht Lust, mit dem Elektroelefanten zu spielen?"
„Tante Mathilda kannst du mir bitte ganz normal sagen, dass ich staubsaugen soll."

Tante Mathilda zu ihrem Neffen: „Justus die Geburtstagsfeier war so schön, sing uns doch noch was vor."
Justus: „Aber die Gäste wollen doch schon gehen."
Tante Mathilda: „Ja, aber leider noch nicht schnell genug!"

Beim Abendessen bemerkt Justus, dass der Salzstreuer leer ist.
„Ich fülle mal eben neues Salz ein“, sagt er und verschwindet in der Küche.
Nach einer Stunde kommt er wieder.
Du hast aber lange gebraucht“, wundert sich Tante Mathilda.
„Ich weiß“, sagt Justus, „aber diese Löcher sind so verdammt klein!“

Auf Ganovenjagd mit Kommissar Reynolds

Verkehrskontrolle.
„Na, was haben wir denn da!“, ruft der Polizist erstaunt aus. Am Steuer sitzt ein Schäferhund, neben ihm auf dem Beifahrersitz sitzt Peter.
„Bist du verrückt geworden, deinen Hund Autofahren zu lassen?“
Daraufhin Peter: „Das ist nicht mein Hund, er hat mich nur als Anhalter mitgenommen.“

Zwei Polizisten sehen den Radrennfahrern zu: „Junge, wäre da ein Geld zu machen“, sagt der eine, „39 Räder ohne Lampe.“

Schimpft der Polizist mit Bob:
„Du darfst doch nicht bei Rot über die Straße gehen.
Bist du denn von Sinnen?“
„Nein, Wachmeister, von Rocky Beach.“

Hören Sie mal zu, sagt der Polizist zum Golfspieler. „Ihr Ball ist auf die Straße geflogen und hat dort die Frontscheibe eines Feuerwehrwagens im Einsatz zertrümmert, der deswegen gegen einen Baum gerast ist. Das Haus, das gelöscht werden sollte, ist bis auf die Grundmauern niedergebrannt. Was haben Sie zu diesem Sachverhalt zu sagen?"
„Wo ist mein Golfball jetzt?"

Ein Zöllner zum anderen:
„Wir müssen heute mal wieder stärker kontrollieren,
wir haben keine Zigaretten und keinen Kaffee mehr!"

Ein Polizist steht auf der Straße und hat einen weißen und einen schwarzen Stiefel an. Kommt eine Funkstreife und hält an.
„Kollege!", sagt der Fahrer, „du hast einen weißen und einen schwarzen Stiefel an. Geh nach Hause und kleide dich richtig."
„Das kann ich nicht", sagt der Polizist, „da steht auch bloß ein weißer und ein schwarzer Stiefel."

Kommissar Reynolds klingelt an der Haustür. „Guten Tag, Mrs Jonas, stimmt es, dass ihr Mann Amateurfunker ist?“
„Ja, das stimmt. Ist das etwa verboten?“
„Nein, eigentlich nicht. Aber eben sind alle Schiffe der Armee ausgelaufen.“

Das Sandmännchen sitzt bei der Polizei und sagt verzweifelt: „Der kleine Junge wollte nach ein paar Prisen Sand immer noch nicht schlafen.“
Der Polizist zeigt dem Sandmännchen das Beweisfoto. Der Junge ist unter einem Berg Sand begraben. „Das nennen Sie ein paar Prisen Sand?“

Mr Andrews bewirbt sich bei einem Warenhaus. „Ich möchte gerne Detektiv werden.“
„Aber entschuldigen Sie, Sie schielen ja!“
„Eben, umso größer ist der Vorteil: Niemand weiß, wen ich gerade beobachte!“

Ein Polizist zu Peter:
„Warum bist du denn nicht über die Straße gefahren?"
Peter: „Wollte ich ja auch, aber das blöde Stoppschild wurde einfach nicht grün!"

Polizist: „Wie heißen sie denn?"
Antwort: „Syzchelywiztschkowsky!"
Polizist: „Und wie schreibt man das?"
Antwort: „Mit einem E ..."

Eine Bank wird überfallen! Kommissar Reynolds sagt zu seinen Angestellten, sie sollen alle Ausgänge umstellen. Nach zehn Minuten kommt ein Angestellter zurück und meldet, dass der Räuber geflohen ist. Reynolds ist stinksauer und will wissen wie das passiert ist, da er ja den Befehl gegeben hatte, alle Ausgänge zu umstellen. Der Angestellte sagt: „Er ist durch den Eingang geflohen ...!"

In einem Hochhaus wohnen im ersten Stock der Herr Niemand, im zweiten Herr Blöd und im dritten Herr Keiner. An einem Sommertag sitzen alle auf ihren Terrassen. Plötzlich spuckt Herr Keiner dem Herrn Blöd auf den Kopf.
Herr Blöd geht zur Polizei und schimpft: „Keiner hat mir auf den Kopf gespuckt. Niemand hat es gesehen!“
Meint der Polizist darauf: „Sind sie eigentlich blöd?“
„Ja, woher wissen Sie das?“

Bob fragt seinen Vater: „Du Papa, was ist das da oben für ein Flugzeug? Ein Passagier- oder ein Präsidentenflugzeug?“
Darauf der Vater: „Keine Ahnung, aber frag doch mal den Polizisten dort.“
Bob geht zum Polizisten und stellt ihm die Frage. Darauf der Polizist: „Das muss ein Passagierflugzeug sein – wäre es ein Präsidentenflugzeug, wären vorne und hinten Polizei-Motorrad-Eskorten!“

Ein Einbrecher wird in der Nacht von einem Polizisten verhaftet. Als sie auf dem Weg ins Polizeirevier sind, sagt der Einbrecher: „Ich habe meine Mütze am Tatort vergessen. Dürfte ich sie noch holen?"
Darauf antwortete der Polizist: „Nö, nö, den Trick kenne ich schon. Sie bleiben schön hier stehen, und ich hole Ihre Mütze ..."

Peter steht vor einer Haustür und versucht zu klingeln. Ein Polizist kommt vorbei: „Na mein Kleiner, soll ich dir helfen?"
„Ja, bitte."
Er nimmt Peter auf den Arm und klingelt ein paar Mal.
„Und nun", sagt Peter, „nun sollten wir aber langsam abhauen ..."

Kommissar Reynolds ruft seinen Kollegen in Los Angeles an und meldete ihm, dass ein Gangster aus dem Gefängnis ausgebrochen ist.
„Schicken Sie mir auf alle Fälle ein Foto von ihm“, meinte der Kollege hilfsbereit, „sollte der Bursche hier auftauchen, werden wir ihn bald haben!“
Kommissar Reynolds schickt ihm vier Bilder des Verbrechers: eins im Profil, eins von vorn, eins mit Hut und eins ohne Hut.
Zwei Tage später meldet sich der Kollege aus Los Angeles wieder und verkündet stolz: „Drei der Gesuchten haben wir bereits verhaftet – dem vierten sind wir auf der Spur.“

Der städtische Bus der Linie 20 ist gegen einen Laternenpfahl gerast. Der Polizist fragt den Fahrer: „Wie ist das bloß passiert?“ „Ich weiß auch nicht. Als es geschah, war ich gerade hinten im Bus und habe Fahrkarten verkauft!“

Ein Grenzpolizist hat einen Mann im Wald gestoppt: „Öffnen Sie Ihren Rucksack!“
„Aber ich habe doch gar keinen Rucksack“
„Egal, Vorschrift ist Vorschrift!“

Onkel Titus rast mit einem klapprigen Auto durch Rocky Beach. Nur mit Mühe kann ihn die Polizei stoppen.
„Warum fahren Sie so schnell?“, fragt der Polizist.
„Ich muss möglichst schnell nach Hause“, erklärt Onkel Titus, „meine Bremse funktioniert nicht mehr richtig!“

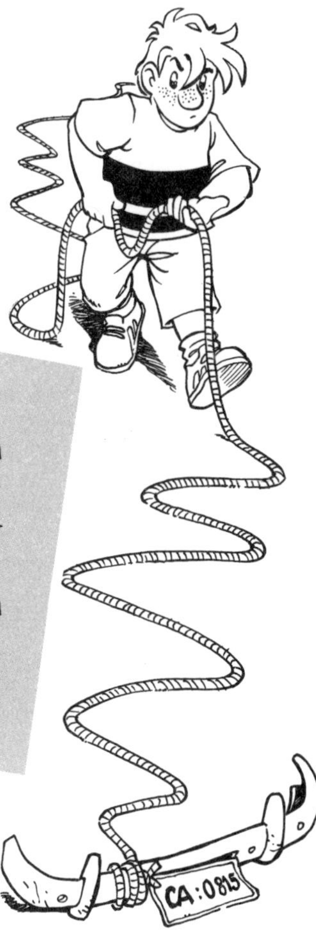

Anruf bei der Zentrale der Polizei: „Helfen Sie mir, man hat aus meinem Wagen Lenkrad, Handbremse und Armaturenbrett geklaut!“
Minuten später meldet sich ein Polizist: „Hat sich erledigt. Der Kerl ist besoffen und sitzt auf dem Rücksitz ...“

Polizist: „Ihr Autokennzeichen ist völlig verschmutzt, Mr Shaw.“
„Macht doch nichts, die Nummer weiß ich auswendig.“

Nachts. Verkehrskontrolle.
Der Autofahrer hat keine Papiere.
Sagt der Polizist: „Wir müssen Ihre Personalien überprüfen. Wie heißen Sie?“
„Ich bin der Kaiser von China.“
„Sie wollen mich wohl verkohlen. Den kenn ich doch. Also noch mal, wie heißen Sie?“
„Johann Wolfgang von Goethe.“
„Na also, geht doch.“

„Mit 20 Dollar kommen Sie noch glimpflich davon“, erklärt der Polizist dem Verkehrssünder. „Richtig. Für das gleiche Vergehen hat mir Ihr Kollege vorige Woche den Führerschein abgenommen!“

Anruf bei der Polizei: „In meinem Zimmer tickt eine Bombe.“
„Wir kommen – solange wie sie tickt haben Sie nichts zu befürchten!“

Mr Shaw ist kurz beim Bäcker. Als er nach fünf Minuten den Laden verlässt sieht er eine Politesse, die gerade einen Strafzettel schreibt. Also geht er zu ihr hin und sagt: „Ach kommen Sie, können Sie nicht mal ein Auge zudrücken?"
Sie ignoriert ihn und schreibt weiter an ihrem Strafzettel. Mr Shaw wird ungeduldig und beginnt zu schimpfen. Sie sieht ihn an und schreibt ein weiteres Ticket für abgefahrene Reifen.
Er ärgert sich noch mehr und schimpft weiter. Also schreibt sie ein drittes Ticket! So geht es die nächsten zehn Minuten weiter. Je mehr sich Mr Shaw aufregt, desto mehr Tickets schreibt sie.
Als er weiter geht denkt sich Mr Shaw: „Eigentlich kann es mit ja egal sein, wie viele Strafzettel sie schreibt – schließlich bin ich zu Fuß unterwegs."

Onkel Titus beobachtet einen Streifenwagen, der eine enge Straße rückwärts bergauf fährt.
Er fragt: „Warum fahren Sie denn rückwärts?"
„Wir wissen nicht, ob oben auf dem Berg Platz zum Wenden ist."
Eine Stunde später sieht Onkel Titus auf seinem Rückweg denselben Streifenwagen. Diesmal fährt er bergab, ebenfalls rückwärts.
Onkel Titus fragt neugierig: „Und warum fahren Sie jetzt immer noch rückwärts?"
„Oben auf dem Berg war doch Platz zum Wenden!"

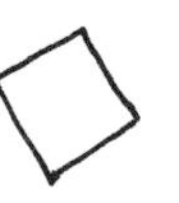

„Ich bekomme immer Drohbriefe!“
„Wende dich doch an die Polizei!“
„Ach darf man das? Die Briefe kommen doch vom Finanzamt!“

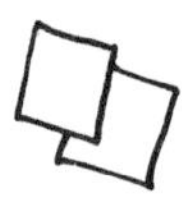

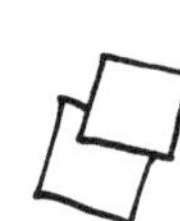

Rennt ein Mann bei Rot über die Ampel und wird von einem Polizisten angehalten.
„Das macht dann 20 Dollar Strafe.“

„Aber ich habe gar kein Geld dabei.“
„Dann schicken wir Ihnen den Bescheid zu. Wie heißen Sie?“
„Pralysovski“
„Ach, wissen Sie was? Heute lasse ich Sie mal noch mit einer Verwarnung davonkommen!“

Ein Mann kommt an einem Nachmittag nach Hause und sieht, dass sein Dach kaputt ist. Er geht nach drinnen und sieht das die Tassen aus dem Schrank geflogen sind. Schließlich ruft die Polizei an und sagt: „Wachtmeister, ich habe einen Dachschaden und nicht mehr alle Tassen im Schrank.“

Zwei Nachbarinnen unterhalten sich.
„Was macht denn Ihr Mann?“
„Der ist bei der Polizei.“
„Aha, und, gefällt es ihm dort?“
„Keine Ahnung, sie haben ihn erst vor einer Stunde abgeholt!“

Peter fährt mit seinem klapprigen Fahrrad bei Rot über die Ampel. Sein Pech, denn nach wenigen Metern wird er schon von der Polizei eingeholt. Der unfreundliche Polizist verlangt seinen Personalausweis, notiert dann Peters Personalien und meint unwirsch: „Das kostet Sie 80 Dollar!“ Peter gelassen: „In Ordnung, das Fahrrad gehört Ihnen!“

Der Polizist stoppt Bob: „Verkehrskontrolle! Das Licht an deinem Fahrrad funktioniert nicht: das kostet 20 Dollar! Die Pedale ohne Rückstrahler: noch mal 20 Dollar! Der Hinterreifen platt: 20 Dollar! Und der Lenker vollkommen krumm: 20 Dollar! Das macht zusammen 80 Dollar!“
Schmunzelt der Bob: „Schauen sie mal den Mann da hinten an – der hat überhaupt kein Rad!“

Zwei Polizisten laufen zusammen Streife. Beim Frühstück setzt sich der eine entgegen seiner Gewohnheit auf eine Bank auf der gegenüberliegenden Straßenseite. Fragt ihn sein Kollege: „Warum sitzt du den heute da drüben?“
Antwortet der andere: „Mein Zahnarzt hat gesagt, ich soll mal auf der anderen Seite kauen.“

Tante Mathilda wird von einem Polizisten angehalten. „Mrs Jonas, Sie sind gerade mit 120 Sachen die Stunde durch eine geschlossene Ortschaft gebraust. Das wird teuer!“
„Aber Wachtmeister, das kann gar nicht sein – ich bin doch erst seit einer Viertelstunde unterwegs!“

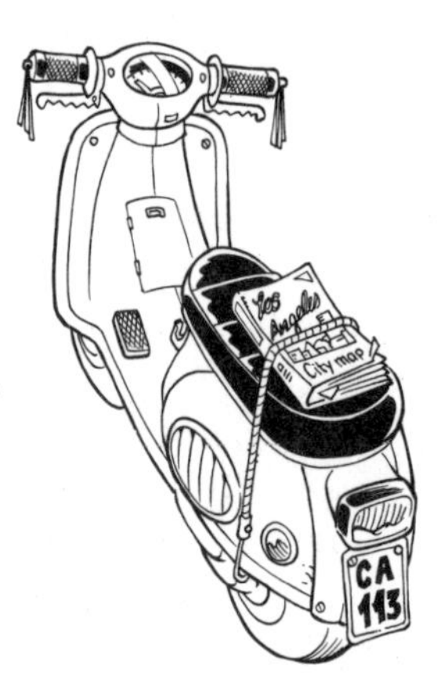

Schon seit mehr als einer halben Stunde verfolgt der Polizist den Dieb. Endlich kann der Dieb nicht mehr und lässt sich auf eine Bank fallen. Schnaufend stoppt der Polizist und setzt sich ebenfalls. Nach einer Weile schaut der Dieb zum Polizisten hinüber: „Na, packen wir's wieder?“

Peter zum berittenen Polizisten:
„Wieso fahren Sie denn kein Auto wie die anderen Polizisten?"
„Weil da mein Pferd nicht reinpasst."

Kommissar Reynolds verwarnt den Autofahrer: „Ich hoffe, dass ich Sie in Zukunft nicht mehr beim Rasen erwische!"
„Ja, das hoffe ich auch", meint der Autofahrer.

Kommissar Reynolds nimmt den Dieb ganz schön in die Mangel.
Nach zwei Stunden mühseligen Verhörens will er von dem Dieb wissen: „Denken Sie bei Ihren Raubzügen eigentlich gar nicht an Ihre Frau und Ihre drei Kinder?"
Der Verbrecher senkt den Blick und antwortet: „Doch schon. Hab aber beim letzten Einbruch nichts Passendes finden können!"

Ein Polizist stoppt Skinny Norris, der mit dem Auto durch Rocky Beach gerast ist: „Darf ich bitte Ihren Führerschein sehen?“, fragt der Polizist höflich. „Wieso Führerschein?“, fragt Skinny, „ich denke, den bekommt man erst mit 18!“

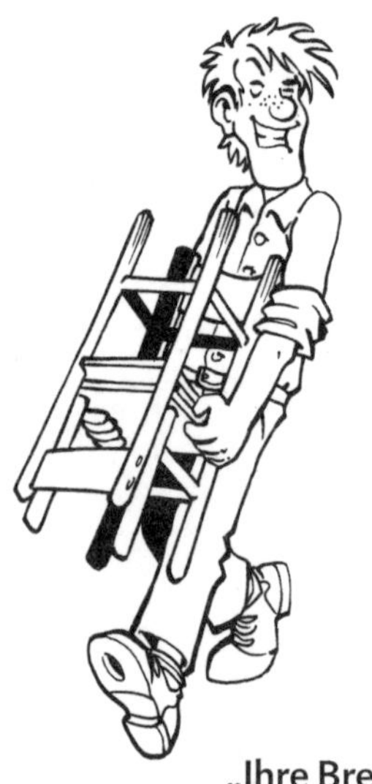

„Sie lügen!“, erklärt Kommissar Reynolds dem Verdächtigen. „Aber nein!“, protestiert der. „Ich war an den letzten zwei Tagen im Februar wirklich in Hamburg.“ „Eben!“, triumphiert Kommissar Reynold. „Die letzten zwei Tage im Februar gibt es ja gar nicht!“

„Ihre Bremsen sind nicht in Ordnung!“, sagt der Polizist zu Onkel Titus, „das macht 200 Dollar.“ „Siehst du“, strahlt Onkel Titus seine Frau an, „200 Dollar! Und in der Werkstatt wollten sie für die Reparatur 600 Dollar haben!“

„Was ist das für ein Hund?"
„Ein Polizeihund."
„Sieht aber gar nicht so aus."
„Soll er auch nicht. Er ist von der Geheimpolizei."

„Diesen alten Schrotthaufen kann man doch nicht Auto nennen“, sagt der Polizist bei einer Verkehrskontrolle zu dem nervösen Fahrer. „Eben! Deshalb habe ich ja auch keinen Führerschein!“

Der Verkehrspolizist stoppt Onkel Titus: „Haben Sie einen Führerschein?“
„Selbstverständlich“, antwortet Onkel Titus: „Wollen Sie ihn sehen?“
Der Polizist winkt ab: „Nein, danke, nicht nötig. Nur wenn Sie keinen gehabt hätten, dann hätten Sie ihn mir zeigen müssen!“

Der Verkehrspolizist zu Tante Mathilda: „Wissen Sie denn nicht, dass ein Kind erst ab zwölf auf dem Beifahrersitz mitfahren darf?“ „Ach, seien Sie doch nicht so pingelig“, antwortet Tante Mathilda und guckt auf die Uhr, „wegen der paar Minuten!“

Ein betrunkener Autofahrer wird von der Polizei angehalten.
Der Polizist fragt: „Wie heißen Sie?“
„Perowiszkyowiesky“
„Und wie schreiben Sie sich?“
„S - i - c - h.“

Peter wird an der Grenze angehalten.
Der Zöllner fragt: „Können Sie sich identifizieren?“
Peter kramt in seiner Tasche, holt einen Spiegel hervor, blickt hinein und sagt: „Ja, ich bin's!“

„Elefant entlaufen“, notiert der Polizist im Protokoll, dann sieht er den Zoodirektor fragend an: „Besondere Kennzeichen?“

Ein Bauer wird zu sechzig Tagen Gefängnis verurteilt. Seine Frau schreibt ihm wütend einen Brief: „Jetzt, wo du im Gefängnis sitzt, erwartest du wohl von mir, dass ich das Feld umgrabe und Kartoffeln pflanze? Aber nein, das werde ich nicht tun!“ Der Bauer antwortet ihr: „Trau dich bloß nicht, das Feld anzurühren, dort habe ich das Geld und die Waffen versteckt!“ Eine Woche später schreibt sie ihm erneut einen Brief: „Jemand im Gefängnis muss deinen Brief gelesen haben. Die Polizei war hier und hat das ganze Feld umgegraben, ohne was zu finden.“ Die Antwort ihres Mannes: „So, jetzt kannst du die Kartoffeln pflanzen!“

Ein Vampir kommt mit dem Fahrrad in die Verkehrskontrolle. Der Polizist: „Haben Sie was getrunken?“ Der Vampir: „Ja, einen Radler!“

Peter geht abends die Straße entlang und kommt an einer Laterne vorbei auf der steht: „Wohnung zu vermieten, 60 qm, ruhige Lage." Er denkt sich: „Mhhh, ist doch ganz ok, ich wollte ja eh schon immer mal von zuhause ausziehen."
Er klopft gegen die Laterne, keine Reaktion. Nochmal, immer noch nichts. Kommt ein Polizist vorbei und fragt: „Was machst du da?" Antwortet er: „Schauen Sie mal, hier steht Wohnung zu vermieten, aber ich klopf und klopf und keiner macht auf."
Der Polizist hört zu, schaut dann die Laterne von oben nach unten genau an und sagt: „Es muss aber jemand da sein, das Licht ist ja an."

Der Landarzt fährt mit 150 km/h durchs Dorf. Seine Frau: „Nicht so schnell! Wenn uns jetzt der Polizist sieht?" „Keine Angst, dem habe ich gestern eine Woche Bettruhe verschrieben ..."

Zwei Rentnerehepaare sind mit dem Auto auf der Autobahn und fahren nicht mehr als 81 km/h. Ein Polizist hält das Auto an.
Der Opa fragt: „Waren wir zu schnell?"
Darauf der Polizist: „Nein, aber warum fahren Sie so langsam?"
Opa: „Darf man schneller fahren?"
Polizist: „Ich denke 100 km/h kann man ruhig fahren."
Opa: „Aber auf dem Schild steht A81."
Polizist: „Ja, und? Was meinen Sie?"
Opa: „Na, da muss ich doch 81 km/h fahren."
Polizist: „Nein, das ist doch nur die Nummer der Autobahn."
Opa: „Ach so. Danke für den Hinweis."
Der Polizist schaut auf die Rückbank des Autos und sieht zwei steif sitzende Omas mit weit aufgerissenen Augen und unendlich großen Pupillen. Da fragt der Polizist fürsorglich die beiden Rentner: „Was ist denn mit den zwei hinten los? Ist den Damen nicht gut?"
Da sagt der andere Opa: „Doch, doch.
Wir kommen nur von der B 252."

Kommt eine Ehefrau ganz aufgeregt aufs Polizeirevier: „Mein Mann ist heute weggelaufen!"
„Und was hat er angehabt?", fragt der diensthabende Wachtmeister.
„Sportschuhe und seinen Jogging-Anzug!"
„Gute Frau, das ist doch nichts Besonderes! Er wird zum Sport gegangen sein."
„Ja, aber, diesmal hat er zum Joggen zwei Koffer mitgenommen!"

„Ihr Wagen ist völlig überladen! Ich muss Ihnen leider den Führerschein abnehmen", sagt der Polizist zu Onkel Titus. „Aber das ist doch lächerlich. Der Führerschein wiegt doch höchstens 50 Gramm!"

Ein Polizist steht in der Küche und versucht, eine Fischbüchse zu öffnen. Erst reißt er die Lasche ab. Dann verbeult er mit dem Büchsenöffner die Seitenwände. Dann verbeult er den Deckel. Schließlich nimmt der Polizist seinen Gummiknüppel, haut mehrfach auf die Büchse und schreit: „Aufmachen, Polizei!"

Auf der Polizeistation klingelt das Telefon:
„Kommen Sie sofort. Es geht um Leben und Tod. Hier in der Wohnung ist eine Katze!"
„Wer ist denn am Apparat?"
„Der Papagei."

Ein freundlicher Passant ruft Mr Andrews hinterher: „Hallo! Sie haben die Scheibenwischer angelassen.“
„Schon gut. Die lasse ich immer an, damit mir die Polizei keinen Strafzettel dranklemmen kann …“

Die Polizei hält ein Auto an, das Schlangenlinien fährt. Der Polizist zum betrunkenen Fahrer: „In Ihrem Zustand heißt die Devise: Hände weg vom Steuer!“ Darauf der Autofahrer: „Was, wenn ich betrunken bin soll ich auch noch freihändig fahren?“

Verkehrskontrolle. „Sind Sie verrückt geworden, mit achtzig durch die geschlossene Ortschaft zu rasen?“
Darauf Tante Mathilda, pikiert: „Das ist nur mein Hut, Kommissar, der mich so alt macht.“

Zwei Polizisten auf Streife: „Du, ich habe noch viel an meiner Laube zu basteln. Kannst du nicht alleine weitermachen.“
Sagt der andere: „Ist okay, hau ab!“
Nach zwei Stunden Streife, schaut der eine Polizist bei seinem Kollegen vorbei, der auf dem Dach seiner Laube sitzt und Dachpappen nagelt. Einen Nagel klopft er rein, zwei schmeißt er weg, einen Nagel klopft er rein, zwei schmeißt er weg ...
Sagt der Kollege von unten: „Sag mal, warum schmeißt du denn so viele Nägel weg?“
Darauf der andere: „Pass mal auf, da gibt's Nägel, die sind okay. Die haben den Kopf oben und die Spitze unten. Aber dann gibt's noch welche, die haben unten den Kopf und oben die Spitze, die krieg ich hier nicht rein.“ Meint der Polizist von unten: „Mensch, die brauchst du doch nicht wegschmeißen, die kannst du doch aufheben; vielleicht hast du ja mal was von unten zu nageln!“

Der Zollbeamte beugt sich in das geöffnete Fenster des Wagens und fragt: „Alkohol, Zigaretten?“ Mr Andrews winkt ab: „Nein, aber wenn Sie schon so freundlich fragen, hätte ich gerne zwei Kaffee, bitte!“

Fahrzeugkontrolle: „Ihr linkes Rücklicht brennt nicht", belehrt der Polizist den Lastwagenfahrer. Der steigt aus, geht nach hinten und bleibt fassungslos bei seinem Fahrzeug stehen.
„Sehen Sie, es funktioniert nicht", wiederholt der Beamte freundlich.
„Zum Teufel mit dem Rücklicht", schnauzt ihn Fahrer an. „Sagen Sie mir lieber, wo mein Anhänger geblieben ist!"

Skinny Norris sieht auf dem Fensterbrett im zweiten Stock eines Hauses einen Blumentopf mit wunderschönen Blüten. Er beschließt, die Blumen zu stehlen und holt eine Leiter. Als er oben angelangt ist und den Topf gerade in seinen Händen hält, kommt ein Polizist vorbei und fragt ihn: „Was machst du da? Wohnst du hier?"
„Nein," antwortet Skinny, „ich will dem Nachbarn als Überraschung diesen Blumentopf ans Fenster stellen!"
Da schreit der Polizist ihn an: „Mach keinen Unsinn! Wenn der herunterfällt! Nimm das Zeug sofort wieder mit!"

Onkel Titus ruft bei der Polizei an: „Jemand hat seinen Müll vor meinem Haus abgeladen!" Der Polizist verspricht, den Fall zu untersuchen. Nach einer Weile ruft er Onkel Titus zurück: „Ich habe im Gesetzbuch nachgelesen. Der Fall verhält sich so: Wenn sich innerhalb von sechs Monaten niemand meldet, dürfen Sie die Sachen behalten!"

„Ich habe den Einbrecher jetzt drei Stunden lang verhört.“, erzählt Kommissar Reynolds seinem Kollegen.
„Und hat er gestanden?“
„Ja, sicher, glaubst du vielleicht, ich biete ihm auch noch einen Stuhl an?“

Ein Polizist hält bei einer Fahrzeugkontrolle ein Auto an und verlangt den Führerschein. Da schreit ihn der Fahrer an: „Wollen Sie mich verkohlen? Letzte Woche haben Sie ihn mir abgenommen und jetzt soll ich ihn vorzeigen! Haben Sie ihn etwa verloren?“

Peter wird von der Polizei angehalten.
Der Polizist erklärt: „Du hast eben eine rote Ampel überfahren!“
Peter dreht sich um und schaut nach der Ampel: „Das stimmt doch gar nicht! Die Ampel steht noch, ich bin daran vorbeigefahren!“

Ein Polizist steht vor einem Auto, als der Fahrer dazu kommt. „Sie haben Ihren Wagen im Halteverbot geparkt. Das kostet 50 Dollar Strafe!", erklärt er dem Mann. Dieser antwortet: „Moment mal! Das ist nicht mein Wagen, ich habe ihn gestohlen!"

Ein Polizist sitzt heulend auf einer Mauer. Da kommt ein Mann und fragt: „Was haben Sie denn?" Der Polizist: „Mein Polizeihund ist weggelaufen." Der Mann: „Ach ... machen Sie sich doch keine Sorgen, der findet auch allein wieder aufs Revier!" Der Polizist traurig: „Der Hund schon – aber ich nicht."

In einer Polizeischule. Der Lehrer zeigt den jungen Polizisten das Bild eines auffälligen Verbrechers. Nach einiger Zeit nimmt er das Bild weg und fragt die Schüler: „Was ist Ihnen aufgefallen?"
„Er hat nur ein Ohr!"
„Aber nein! Das Bild ist doch von der Seite aufgenommen!"
Er fragt einen anderen Schüler.
Der antwortet: „Er hat nur ein Auge!"
„Aber nein! Das Bild ist doch von der Seite aufgenommen worden."
Der Lehrer versucht es bei einem dritten Schüler: „Was ist Ihnen aufgefallen?"
„Er trägt Kontaktlinsen."
„Ausgezeichnet! Woher wissen Sie das?"
„Na, mit einem Auge und einem Ohr kann er ja schlecht eine Brille tragen!"

Bei der Verkehrskontrolle:
„Haben Sie das Schild da vorne nicht gesehen? Hier herrscht eine Geschwindigkeitsbegrenzung."
„Nein. Wie soll ich denn auch lesen bei dem Tempo?"

Ein Polizist will einen Straßenmusikanten festnehmen, der ohne Genehmigung in der Fußgängerzone spielt. „Begleiten Sie mich bitte."
„Aber gerne doch Kommissar. Welches Lied wollen Sie denn singen?"

„Baden ist hier verboten!", erklärt der Polizist einer jungen Frau.
„Warum haben Sie das nicht gesagt, bevor ich mich umgezogen habe?"
„Umziehen ist nicht verboten."

Der Geisterfahrer zum Polizisten: „Was heißt hier falsche Richtung? Sie wissen doch gar nicht, wohin ich will!“

Ein Polizist hält einen Lastwagen an. „Ich sage Ihnen jetzt zum dritten und letzten Mal, dass Sie Ladung verlieren.“ „Ja, und ich sage Ihnen gerne noch mal, dass ich hier einen Streuwagen fahre.“

Ein Autofahrer überquert eine Brücke und wird von einem Polizisten angehalten. Der Polizist klopft an die Scheibe, worauf der Autofahrer öffnet. Der Polizist sagt: „Herzlichen Glückwunsch, sie sind der 1.000. Fahrer, der diese Brücke überquert. Sie haben 3.000 Dollar gewonnen. Was wollen sie mit dem Geld anfangen?“
„Ich mache erstmal den Führerschein.“
Die Frau auf dem Beifahrersitz: „Hören Sie nicht auf ihn, der ist völlig betrunken!“
Der Opa auf der Rückbank: „Ich habe doch gesagt, dass wir mit dem geklauten Auto nicht weit kommen!“
Stimme aus dem Kofferraum: „Kinder, sind wir schon über die Grenze?“

Ein Mann geht mit einem Pinguin in der Stadt spazieren. Da kommt ein Polizist vorbei. „Was machen Sie da mit dem Pinguin", fragt der Polizist.
Antwortet der Mann: „Ich gehe mit ihm spazieren, was soll ich denn sonst mit ihm machen?"
Sagt der Polizist: „Bringen Sie ihn doch in den Zoo!"
Am nächsten Tag geht der Mann wieder mit dem Pinguin spazieren. Kommt wieder der Polizist und fragt: „Was machen Sie denn immer noch mit dem Pinguin?"
Sagt der Mann: „Gestern haben Sie mich in den Zoo geschickt, heute gehe ich mit ihm ins Kino."

„Kommissar Reynolds, mein Fahrrad wurde geklaut!"
„Hatte es eine Beleuchtungsanlage?"
„Nein."
„Dann macht das erst einmal 20 Dollar Strafe!"

Die Polizei mahnt: „Sie haben gerade ein Stoppschild überfahren!"
Der Autofahrer: „Und? Wie geht's ihm? Ist es schwer verletzt?"

„So, und jetzt unterschreiben Sie mal das Protokoll hier!“
„Es tut mir leid, Herr Wachtmeister, aber ich bin Analphabet.“
„Ihre Religion tut hier nichts zur Sache!“

Ein Polizist sieht einen Jungen, der bitterlich weint.
„Was ist denn los?“
„Meine Mutter ist dort drüben in die Jauchegrube gefallen!“
Der Polizist stürmt los und stürzt sich in die Jauche.
Nach zehn Minuten kommt er wieder heraus.
„Tut mir leid, meine Junge, aber ich kann deine Mutter nicht finden!“
„Na dann kann ich die blöde Schraube ja auch wegwerfen!“

Onkel Titus und Justus betrachten vom Zaun aus, wie in einer Hundeschule Polizeihunde abgerichtet werden. Nach einer Weile zupft Justus Onkel Titus am Ärmel und blickt zu ihm hoch: „Sag mal, Onkel Titus, kann ein Hund, der einmal eine Wurst geklaut hat, überhaupt noch Polizeihund werden?“

Giovannis Kellnerwitze

„Herr Ober, könnte ich bitte noch ein Stück Zucker haben?“
„Noch ein Stück? Sie hatten doch schon zwölf.“
„Die haben sich aber alle aufgelöst.“

Justus: „Also, ich nehme das mit Käse überbackene Rinderhack-Medaillon in Teighülle und dazu frittierte Kartoffelstiftchen in einer würzigen Tomatensauce.“
Ober: „Okay! Einmal Cheeseburger mit Pommes und Ketchup.“

Peter: „Am Tellerrand sitzt eine Fliege und grinst mich frech an.“
Kellner: „Tut mir leid, aber wenn man dir beim Essen zuschaut, kann man sich das Grinsen kaum verkneifen.“

„Herr Ober, da ist ein Haar in meiner Suppe. Das ist doch allerhand!“
„Besser ein Haar in der Suppe als Suppe im Haar.“

Bob: „Entschuldigung, in der Tischdecke hier ist ein Loch.“
Kellner: „Augenblick bitte, das Nähzeug kommt sofort!“

„Herr Ober, jetzt empfehlen Sie mir doch bitte mal was Gutes!“
„Mein Herr, da kann ich Ihnen nur das Restaurant gegenüber empfehlen.“

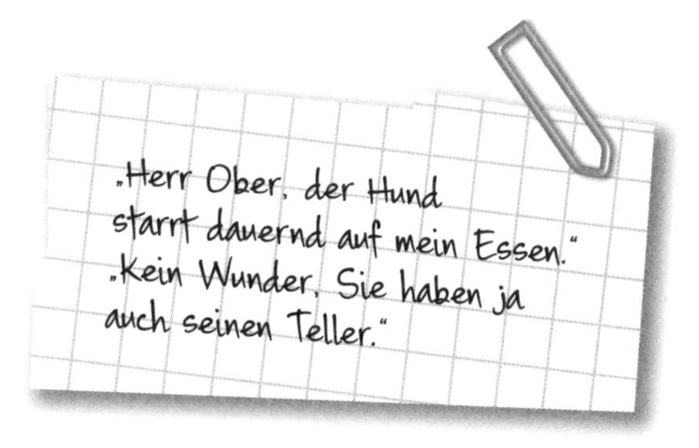

Gast zum Gast: „Essen Sie gerne Wild?"
„Nein, lieber ruhig und gemütlich."

Kellner zu Justus: „Hattest du einen Nachtisch genommen?"
Justus: „Warum? Fehlt einer?"

„Herr Ober, hier in meiner Suppe ist eine Nadel."
„Oh, da hat der Koch wohl die Speisekarte mit dem Druckfehler erwischt. Es sollte eigentlich Nudel heißen."

„Herr Ober, ich bestelle das Essen jetzt schon zum dritten Mal!"
„Freut mich sehr, dass es Ihnen so gut schmeckt!"

„Herr Ober, die Suppe können Sie wieder mitnehmen, die ist nicht mehr heiß!“
„Aber mein Herr, Sie haben die Suppe ja noch nicht einmal gekostet!“
„Brauche ich nicht. Wenn Sie Ihren Daumen in der Suppe haben, kann sie nicht sehr heiß sein!“

„Herr Ober, auf meinem Salat hüpft eine Fliege!“
„Für neun Dollar können Sie aber auch kein Ballett erwarten.“

Onkel Titus und Tante Mathilda sind in einem vornehmen Restaurant. Sie tritt ihm unter dem Tisch auf den Fuß. „Den Champagner trinkt man doch nicht mit dem Löffel!“; flüstert sie.
„Was soll ich denn tun“, flüstert er zurück, „mit der Gabel geht es gar nicht!“

„Bedienung, bitte schauen Sie einmal, in meiner Suppe schwimmt ein Haar!“
„Wirklich interessant, aber leider kann ich nicht länger zusehen, ich muss noch andere Gäste bedienen!“

Winkt der Gast im Restaurant dem Ober zu: „Hallo, Herr Ober!“ Da winkt der Ober zurück: „Hallo, der Herr!“

Nach dem Essen bestellt der Gast noch einen Käseteller.
„Haben Sie echten Emmentaler?“, fragt er.
„Natürlich“, sagt der Kellner und kommt wenig später mit einem leeren Teller zurück.
„Wie? Da ist ja gar nichts auf dem Teller drauf“, beschwert sich der Gast.
„Tut mir leid“, erwidert der Kellner, „da scheinen Sie gerade ein großes Loch erwischt zu haben!“

„Herr Ober, in meiner Suppe schwimmt eine Fliege!"
Der Ober ist entsetzt: „Verzeihen Sie, mein Herr, ich bin untröstlich. Ich werde Ihnen sofort eine neue Suppe bringen. Das Menü geht natürlich auf Kosten des Hauses und erlauben Sie mir noch, Sie im Namen der Geschäftsführung zu einer Cola einzuladen."
Der Ober entfernt sich.
Darauf eine Stimme vom Nachbartisch: „Pssssst, Herr Nachbar! Würden Sie wohl die Liebenswürdigkeit besitzen und mir Ihre Fliege leihen?"

„Herr Ober in meiner Suppe schwimmt eine Fliege!"
„Keine Sorge, mein Herr! Ich habe gesehen, dass sie sich vorher in ihrem Wasserglas gründlich gewaschen hat!"

„Herr Ober, in meiner Suppe schwimmen drei Fliegen!"
„Entschuldigen Sie bitte, aber mit Sport kenne ich mich nicht aus. Vielleicht schwimmen sie ja in der Staffel."

Mr Shaw kommt in ein Restaurant, lässt sich von einem Ober einen Tisch zeigen. Als er Platz nimmt, entdeckt er einen Fleck auf dem Tischtuch. Empört wendet er sich an den Ober: „Das ist doch wohl nicht Ihr Ernst, dass ich von dieser schmutzigen Tischdecke essen soll?“
„Nein, nein, mein Herr“, antwortet der Ober, „Sie bekommen selbstverständlich noch einen Teller.“

Im Restaurant meint der Kellner zu Onkel Titus: „Wenn ich Ihnen die Schnecken empfehlen darf, mein Herr. Das ist die Spezialität unseres Hauses!“
„Ja, ja, ich weiß“, antwortet Onkel Titus, „vergangene Woche bin ich sogar von einer bedient worden!“

Nachdem er abserviert hat, fragt der Kellner Tante Mathilda: „Und, hat es Ihnen geschmeckt?“
„Nun, ich habe schon besser gegessen.“
„Aber sicherlich nicht bei uns!“

Mr Andrews beschwert sich beim Kellner im Nobelrestaurant: „Herr Ober, ich warte jetzt seit einer Stunde auf mein Fünf-Minuten-Steak!“ Darauf der Kellner: „Na, zum Glück haben Sie nicht die Tagessuppe genommen!“

„Hey, Sie haben ja bei der Rechnung das Datum mit addiert!“, empört sich Onkel Titus im Restaurant. „Tja, Zeit ist eben Geld“, antwortet der Ober.

„Herr Ober, ist das eigentlich Kaffee oder Tee, was Sie mir serviert haben?“
„Wonach schmeckt es denn, mein Herr?“
„Es ist eine ungenießbare Plörre, die nach Spülwasser schmeckt!“
„Dann ist es Kakao!“

Entsetzt starrt Justus auf das Gericht, das ihm der Ober gerade serviert hat: „Holen Sie bitte sofort den Geschäftsführer, diesen Fraß esse ich bestimmt nicht!"
Darauf der Ober: „Das hat keinen Zweck. Er isst das auch nicht!"

Tante Mathilda studiert im vietnamesischen Restaurant die Speisekarte und fragt schließlich interessiert: „Wie spricht man dieses Gericht aus?" Antwortet der Kellner: „Das ist die 33!"

„Herr Ober, was sollen denn die vielen Menschen an meinem Tisch?"
„Na, sie hatten doch einen Auflauf bestellt!"

Peter betritt ein Restaurant, sofort springt ein kleiner Hund bellend an ihm hoch. Fragt Peter den Wirt: „Beißt Ihr Hund?"
Antwortet der Wirt: „Nein, mein Hund beißt nicht."
Peter bückt sich und will das Tier streicheln. Sofort beißt ihn der Hund in die Hand.
Da brüllt Peter: „Aber Sie haben doch gesagt, Ihr Hund beißt nicht!"
„Ja, aber das ist ja auch nicht mein Hund!"

Verzweifelt wendet sich Justus an den Wirt: „Verzeihung, aber können sie bitte mal nachschauen, ob die Kellnerin, bei der ich vor längerer Zeit ein Essen bestellt habe, noch bei Ihnen beschäftigt ist?"

„Herr Kellner, was bedeutet das: ‚Semmelknödel à la Tennisspieler'?"
„Die schmettert Ihnen der Koch von der Küche aus zu!"

Bob ruft dem Ober zu, der gerade an ihm vorbeieilt: „Ich hätte gerne eine Karte." Fragt der Ober: „Darf's vielleicht auch gleich noch eine Briefmarke sein?"

„Oh, ein Missgeschick", sagt die Kellnerin zu Mr Shaw, „soeben haben Sie Ihren Kaffee umgestoßen."
„Nein", erwidert Mister Shaw, „der war so schwach, der ist von allein umgefallen."

„Herr Ober, was ist Schimmel?"
„Schimmel ist die Bezeichnung für ein weißes Pferd, mein Herr!"
„So, und was hat ein weißes Pferd auf meinem Kompott zu suchen?"

„Herr Ober, hier sind ja gar keine Stühle!"
„Sie hatten ja auch nur einen Tisch reserviert!"

Beschwert sich Onkel Titus im Restaurant: „Herr Ober! In meiner Suppe schwimmt Baumrinde!"
„Natürlich, Sie sitzen ja auch am Stammtisch!"

„Herr Ober, die Suppe schmeckt aber komisch!"
„So? Dann lachen Sie doch!"

„Herr Ober, mein Tisch wackelt."
„Ja, mein Herr, da können Sie mal sehen, bei uns ist alles für den Gast in Bewegung."

Justus sitzt mit Peter und Bob im Restaurant. Plötzlich fragt Justus: „Peter, was sagst du zu der Schnecke in deinem Salat?"
„Was soll ich zu ihr sagen, sie versteht mich ja doch nicht."

Der Ober empfiehlt: „Wie wäre es zum Beispiel mit Schnecken in Knoblauchsoße oder gebackenen Froschschenkeln? Die Schwalbennester in Trüffelmayonnaise sind auch sehr zu empfehlen."
Onkel Titus: „Nein, danke! Ich bin doch nicht hierhergekommen, um Ihr Ungeziefer aufzuessen!"

„Herr Ober, dieser Hummer ist aber nicht frisch!"
„Doch, ist er! Er ist heute Morgen direkt vom Pazifik gekommen!"
„Dann aber offenbar zu Fuß!"

Fragt der Kellner Bob: „Dein Glas ist leer, möchtest du noch eins?“ Erwidert Bob: „Nein, was soll ich denn mit zwei leeren Gläsern?“

Tante Mathilda sitzt in einem Café. Die Kellnerin stellt eine Tasse Kaffee auf den Tisch. „Sieht irgendwie nach Regen aus“, sagt sie. „Stimmt“, sagt Tante Mathilda. „Aber, wenn man genauer hinschaut, merkt man, dass es doch Kaffee ist.“

Justus beschwert sich bei Tisch: „Hätte ich gewusst, dass ich die Pommes mit der Gabel essen muss, hätte ich mir ja das Händewaschen sparen können.“

Onkel Titus will zahlen.
„Was hatten wir denn?“, murmelt der Kellner und zückt seinen Block.
„Das weiß nur der Koch“, erwidert Onkel Titus. „Bestellt hatte ich jedenfalls ein Wiener Schnitzel.“

Kellner: „Tut mir leid, mein Herr, aber dieser Tisch ist reserviert!“
Justus: „Okay. Dann stellen Sie ihn weg und bringen mir einen anderen!“

„Schade, dass wir nicht schon früher in Ihrem Lokal waren“, meint Justus.
„Gefällt es dir denn so gut?“, fragt der Kellner.
„Nein, aber dann wäre der Fisch vielleicht noch frisch gewesen!“

„Herr Ober, hier auf der Karte steht ‚Kaviar' – was ist das denn?"
„Das sind Fischeier, mein Herr!"
„Gut, dann hauen Sie mir zwei in die Pfanne!"

Im Restaurant beschwert sich Mr Andrews: „Das Thunfischfilet in der vorigen Woche hat aber viel besser geschmeckt!"
„Das verstehe ich nicht", wundert sich die Kellnerin, „es war doch vom selben Thunfisch!"

„Herr Ober, das Schnitzel, das Sie mir gebracht haben, ist ganz schön zäh!"
„Darf ich Ihnen stattdessen ein Kotelett bringen?"
„Gern, aber ich habe das Schnitzel schon angebissen."
„Das macht nichts. Wir haben auch angebissene Koteletts!"

Justus: „Warum weint Skinny Norris?“
Peter: „Weil ich ihm geholfen habe!“
Justus: „Aber das ist doch gut.
Wobei hast du ihm den geholfen?“
Peter: „Beim Eis essen!“

Justus: „Ich muss Sie loben,
Mr Giovanni. Die Portionen sind
größer als früher.“
Giovanni: „Das ist optische
Täuschung, Justus,
ich habe jetzt kleinere Waffeln!“

Nach dem Haareschneiden bekommt Giovanni vom Friseur den Spiegel vorgehalten: „Ist es so recht, mein Herr?“
Darauf Giovanni: „Hinten darf es noch etwas länger werden!“

Der Chefkoch lässt die neue Kellnerin zu sich kommen.
„Sagen Sie mal, wieso haben Sie denn ‚Speinat' auf der Speisekarte geschrieben?"
Die Kellnerin antwortet: „Sie haben doch selbst gesagt, ich soll Spinat mit Ei schreiben."

„Herr Ober, bitte kommen Sie schnell! Hier in meiner Suppe schwimmt eine Fliege!"
Der Ober eilt herbei, setzt eine Brille auf und sieht auf den Teller.
„Nein, sie irren sich", sagt er dann, „das ist eine Spinne."

Tante Mathilda und Onkel Titus haben sich eine Pilzterrine bestellt. Als die Kellnerin die Suppe gebracht hat, sagt sie:
„Das macht 15 Dollar!"
„Na hören Sie mal", beschwert sich Tante Mathilda, „wir sind erst bei der Vorspeise und Sie wollen schon abkassieren?"
„Bei Pilzgerichten ist das bei uns so üblich", antwortet die Kellnerin verlegen.

„Die Tischdecke sieht ehrlich gesagt nicht besonders appetitlich aus“, beschwert sich Justus bei Giovanni.
„Na“, sagt Giovanni gutmütig und lacht, „die sollst du ja auch nicht mitessen.“

Onkel Titus und Tante Mathilda sitzen in einem vornehmen Restaurant. Leider ist die Karte auf Französisch geschrieben. Um sich nicht vor seiner Frau zu blamieren, sagt Onkel Titus zum Kellner: „Wir hätten gern genau dasselbe wie das Ehepaar dort vorn!“
„Ich werde es gern versuchen“, sagt der Kellner, „aber ich fürchte, die Herrschaften werden sich ihr Essen nicht so einfach wegnehmen lassen.“

„Herr Ober, das Wasser in der Karaffe ist ja ganz trüb.“
„Nein, seien Sie ganz beruhigt, das Wasser ist ganz klar. Das Glas ist nur so dreckig.“

Der Kellner zu Peter:
„Hast du Barsch bestellt?"
„Nein, ganz höflich eigentlich!"

Justus zum Ober: „Herr Ober, in meiner Suppe schwimmt ein Gebiss!“
„Waff iff?“

„Und? Wie fandest du das Schnitzel?“, fragt der Ober Justus.
„Och, zufällig, ganz zufällig unter einem Salatblatt“, sagt Justus.

Für eine Geburtstagsgesellschaft soll ein gebratenes Spanferkel serviert werden. Der Küchenchef weist den neuen Kellner ein: „Vor dem Auftragen stecken Sie eine halbierte Zitrone ins Maul und in jedes Ohr einen Zweig Petersilie."
Der Kellner schaut ihn unglücklich an: „Meinen Sie nicht, dass ich damit ein wenig albern aussehe?"

„Herr Ober, das Brötchen ist ja von gestern!"
„Ja, wenn Sie eines von heute wollen, müssen Sie morgen kommen."

„Herr Ober, in meiner Suppe schwimmt ein Hörgerät."
„Entschuldigung, was sagten Sie gerade?"

Mr Andrews kommt in die Bahnhofsgaststätte und sagt: „Ich habe es eilig, ich muss gleich weg. Was können Sie mir empfehlen?“ Darauf die Wirtin: „Nehmen Sie den Fisch. Der muss auch weg.“

„Was hat eigentlich der Gast, der so grimmig rausgerannt ist, ins Gästebuch geschrieben?“, fragt der Gastwirt die Kellnerin. „Überhaupt nichts“, antwortet sie. „Er hat nur das Schnitzel eingeklebt.“

„Herr Ober, haben Sie Froschschenkel?“
„Nein, ich gehe immer so.“

Ein Mann kommt aus seiner Stammkneipe nach Hause. Er macht dabei solchen Lärm, dass seine Frau aufwacht. „Entschuldige bitte. Die Schuhe sind umgefallen.“
„Das macht doch nicht so einen Krach.“
„Wenn man noch drin steht aber schon.“

Kommt ein Mann in eine Kneipe und sagt: „Schnell, ein Bier bevor es losgeht.“ Er trinkt das Bier und meint etwas später zum Barkeeper: „Schnell, noch ein Bier, bevor es losgeht.“ So geht das noch drei Mal. Schließlich wird der Barkeeper neugierig und fragt: „Sagen Sie mal, können Sie das überhaupt bezahlen?“ Darauf der Gast: „Jetzt geht's los.“

„Herr Ober meine Serviette ist schmutzig!“
„Tut mir leid, dann ist sie falsch zusammengelegt!“

Kommt ein Mann mit seinem Hund in ein chinesisches Restaurant. Sofort läuft ihm ein aufgeregter Kellner wild gestikulierend entgegen: „Das Verzehren von mitgebrachten Speisen ist hier verboten!“

Sagt der Gast zum Ober:
„Herr Ober, in meiner Suppe liegt ein Zahn!“
„Aber Sie sagten doch, ich soll einen Zahn zulegen.“

„Herr Ober, haben Sie Froschschenkel?“
„Ja.“
„Dann hüpfen Sie mal und bringen Sie mir einen Saft!“

Frau Meier zu ihrer Nachbarin: „Mein Sohn wird bestimmt mal Kellner. Den kann man rufen und rufen – er kommt nie!“
„Und meiner wird Politiker. Immer wenn er etwas verkehrt macht, schiebt er die Schuld auf einen anderen!“

Der Ober bringt die Suppe. Nach einer Weile kommt er wieder am Tisch vorbei und sieht, dass der Gast untätig vor dem Teller sitzt.
Ober: „Ist etwas nicht in Ordnung, der Herr?“
Gast: „Kosten Sie die Suppe!“
Ober: „Ist sie zu heiß? Oder zu kalt?“
Gast wird lauter: „Kosten Sie die Suppe!“
Ober: „Ist sie versalzen?“
Der Gast schreit: „Kosten Sie die Suppe, Menschenskind!“
Ober: „Oh, äh – ist ja gar kein Löffel da!“
Gast: „Eben!“

„Herr Kellner, dieses Schnitzel schmeckt wie ein alter Gummistiefel, den man mit Zwiebeln eingeschmiert hat!“
„Ts! Was Sie schon alles gegessen haben!“

Ober: „Möchten Sie Ihren Kaffee schwarz?"
Gast: „Nein, rosa mit grünen Sternchen drin und lila Troddeln unten dran!"

„Entschuldigung, kennen wir uns?"
„Woher?"
„Ich hatte vor zwei Stunden eine Suppe bei Ihnen bestellt, Herr Ober!"

„Die Suppe ist ja eiskalt, Herr Ober!"
„Das ist ja kein Wunder! Die haben Sie ja schon vor einer Stunde bestellt!"

Sagt Onkel Titus zum Ober: „Zahlen bitte!"
Sagt der Ober: „3, 5, 12 ...!"

Unterwegs auf dem Meer ...

... mit Ernesto

Ein Mann kommt zur Armee.
„Wo wollen Sie denn hin?", fragt der General.
„Zur Marine."
„Können Sie schwimmen?"
„Nein wieso? Haben Sie denn keine Schiffe?"

Zwei Schiffbrüchige rudern seit Wochen auf dem Ozean ohne irgendwas anderes als das Meer zu sehen. Auf einmal stutzt der eine und sagt: „Sag mal, rudern wir etwa im Kreis?"
„Warum?"
„Na, die Gegend kommt mir irgendwie so bekannt vor."

Zwei Schiffbrüchige treiben auf einem Floß. Einer schreit ohne Pause um Hilfe. Wendet sich der andere an ihn und sagt: „Mach doch nicht so einen Lärm, hast du vergessen, dass wir auf dem Stillen Ozean sind?"

Peter hat ohne jede Begleitung
den Kanal durchschwommen.
Als er erschöpft das Ufer erreicht,
wird er von einer jubelnden
Menschenmenge empfangen.
Nachdem sich die Leute wieder
verlaufen haben, tritt ein Mann
auf Peter zu und fragt:
„Verzeihung – aber wusstest du wirklich
nicht, dass hier auch Fährschiffe
verkehren?"

Zwei Goldfische schwimmen in einem Glas mit wenig Wasser.
Frau Goldfisch: „Du wirst uns mit deiner Sauferei noch ruinieren."

„Haben Sie die Fische, die Sie hier im Eimer haben, alle allein gefangen?"
„Nein, ich hatte einen Wurm, der mir dabei geholfen hat."

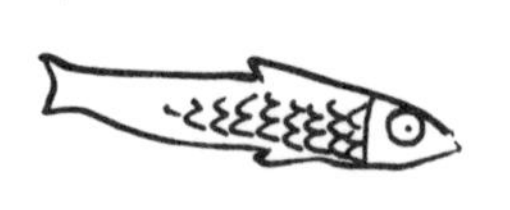

Kommt Tante Mathilda zu Ernesto Porto, der gerade im Hafen angelt, und fragt: „Und, beißen die Fische?"
Ernesto antwortet: „Nein, die sind ganz brav! Sie können sie ruhig streicheln!"

Zwei Hellseher treffen sich beim Angeln.
Sagt der eine: „Heute beißen die Fische sehr gut."
„Ja", nickt der andere, „wie im Sommer 2035".

Ein Angler fällt in den See,
er schreit um Hilfe.
„Sind Sie hineingefallen?",
erkundigt sich ein
Vorbeikommender.
„Ach was, ich wohne hier."

„Was tust du denn in das Aquarium?"
„Natürlich Wasserflöhe."
„Bist du gemein! Die armen Fische
können sich doch nicht kratzen."

Sitzen zwei Angler am Wasser im Hafen bei Ernesto. Der eine holt einen Stiefel, der andere einen Hut aus dem Wasser. Darauf Ernesto: „Du, wir müssen verschwinden. Da unten wohnt einer."

In der Zoohandlung:
„Was kosten eigentlich die Goldfische?"
„Das Stück 15 Dollar!"
„Und die Silberfische?"

„Sind Fische gesund, Herr Doktor?"
„Ich glaube schon, bei mir war jedenfalls noch keiner in Behandlung."

Treffen sich zwei Regenwurmfrauen. Fragt die eine: „So alleine? Wo ist denn Ihr Mann?" Schluchzt die andere: „Beim Angeln!"

„Immer wenn du beim Angeln warst, bist du so nervös."
„Bin ich auch."
„Und ich habe geglaubt, Angeln sei gut für die Nerven."
„Ja, aber nur, wenn man einen Angelschein hat."

Sagt die Heringsmutter zu ihrem jüngsten Kind: „Schwimm gerade! Sonst wirst du noch ein Rollmops!"

„Wo kommst du her?“
„Vom Angeln!“
„Was haste geangelt?“
„Hechte.“
„Wie viele haste gefangen?“
„Keinen einzigen“
„Woher weißt du dann,
dass du Hechte geangelt hast?“

Onkel Titus auf dem Fischmarkt zum Verkäufer: „Fünf frische Forellen bitte! Einpacken brauchen Sie sie nicht – werfen Sie mir die Fische einfach zu, damit ich zu Hause sagen kann, dass ich sie selbst gefangen habe!“

„Seit wann hast du denn Karpfen in deinem Gartenteich?“
„Seit voriger Woche. Zuerst wollte ich mir Hühner zulegen. Aber dann habe ich gelesen, dass ein Karpfen mehr als 500.000 Eier im Jahr legt.“

Treffen sich zwei Fische im Meer.
Sagt der eine: „Hi"
Der andere schaut sich erschrocken um:
„Wo?"

Die vernachlässigte
Ehefrau des Anglers
in der Drogerie:
„Haben Sie ein Parfüm,
das nach Karpfen riecht?"

Ein Angler zieht eine Geldbörse mit mehr als 500 Dollar aus dem Wasser. Das Ereignis steht in der Tageszeitung, weil der Besitzer des Geldbeutels gesucht wird.
Am nächsten Tag wird der Angler von mehr als 300 Angler-Kollegen gefragt, welchen Köder er denn benutzt hat.

Kommt ein Schäfer mit seiner Herde an einen Fluss. Da auf der anderen Seite des Flusses fettes Gras wächst, möchte er gern hinüber. Er sieht einen Angler und fragt: „Gibt es hier eine flache Stelle, damit ich mit meinen Schafen über den Fluss komme?“
Sagt der Angler: „Ja gehen sie 300 Meter stromabwärts, da können sie bequem rüber.“
Der Schäfer geht mit seiner Herde zu dieser Stelle und treibt seine Tiere ins Wasser. Aber alle Tiere ertrinken. Der Schäfer stellt den Angler wütend zur Rede.
Der Angler sagt ganz verwundert: „Das verstehe ich nicht. Vor einer halben Stunde habe ich gesehen, wie ein Schwarm Enten dort rübergegangen ist.“

„Junger Mann, hier dürfen Sie nur mit einem Erlaubnisschein angeln."
„Oh besten Dank für diesen Tipp! Ich habe es die ganze Zeit mit einem Regenwurm versucht."

Ernesto Porto erzählt jeden Abend in der Kneipe von seinen großen Anglererfolgen des Tages, etwa wie riesig groß die gefangene Makrele war. „So groß", ruft er dann immer und breitet seine Arme soweit aus wie er nur kann. Eines Abends beschließen seine Freunde ihm die Hände zu fesseln. Mit Schadenfreude fragen sie ihn: „Und, was hast du heute gefangen?"
„Ihr könnt es euch gar nicht vorstellen. Der Fisch war riesig groß, größer als alle anderen. Er öffnet seine Hände soweit wie möglich und sagt: der hatte ... solche Augen!"

Ein Kutter mit Hochsee-Anglern fährt an einer kleinen Insel vorbei, auf der ein zerlumpter bärtiger Mann wie wild mit den Händen fuchtelt.
„Wer ist das?", will einer der Angler vom Kapitän wissen.
„Ich weiß es auch nicht", antwortet dieser, „aber der freut sich immer so, wenn wir hier vorbeikommen."

Rennt ein Mann am Fluss entlang. Bei einem Angler hält er an und fragt: „Ist meine Frau hier vorbeigekommen? Sie ist blond und trägt ein rotes Kleid.“
„Ja“, sagt der Angler, „vor ein paar Minuten.“
„Gott sei Dank, dann kann sie ja noch nicht so weit sein!“
„Glaub ich auch nicht! Bei der schwachen Strömung!“

Ernesto Porto gibt mächtig an:
„Kürzlich habe ich im Meer geangelt.
Da habe ich einen Fisch gefangen.
Ich sage dir, wie ich ihn herausgezogen habe, ist der Wasserspiegel um einen Meter gesunken.“
„Da hast du wohl einen Wal gefangen?“, fragt der andere.
Ernesto lächelt mitleidig: „Einen Wal?
Die nehme ich als Köder.“

„Sagen Sie, warum geht ihr Mann eigentlich im Matrosenanzug in den Wald, er ist doch Jäger.“
„Ganz einfach: Wenn die Rehe ihn im Matrosenanzug sehen, denken die Rehe er geht Angeln!“

Zwei Angler fahren ziemlich spät nach Hause.
Sagt der eine: „Wenn ich jetzt nach Hause komme kocht meine Frau vor Wut."
Sagt der andere: „Da haste aber Glück. Ich bekomme um diese Zeit nichts Warmes zu essen mehr."

„Das soll Fischsalat sein, da ist ja kein Stückchen Fisch drin!"
„Im Hundekuchen sind schließlich auch keine Hunde."

Sagt der Barsch zum Dorsch:
„Du, ich glaube, ich bin krank!"
„Dann schwimm doch schnell zum Heilbutt!"

Fragt ein Fisch den anderen:
„Leihst du mir bitte mal deinen Kamm?"
„Nein, du hast zu viele Schuppen!"

Zwei Angler sitzen völlig regungslos am See und angeln. Nach sechs Stunden schlägt der eine die Beine übereinander. Sagt der andere genervt: „Sag mal, angeln wir hier oder tanzen wir Foxtrott?"

„Vorsicht", sagt die Forelle zu ihrem Kind, als sie einen dicken Wurm entdeckt. „Wenn dir so ein Brocken vor die Nase fällt, ist ganz sicher irgendein Haken dabei!"

„Mr Andrews", sagt der Chef-Redakteur wütend, „gestern Nachmittag haben Sie sich freigenommen, weil Sie einen Termin beim Zahnarzt hatten. Wie kommt es, dass man Sie am Fluss beim Angeln beobachtet hat, zusammen mit einem anderen Mann?"

„Aber das war doch mein Zahnarzt, Herr Direktor!"

„Peter“, sagt Mr Shaw streng, „du hast mir versprochen, um acht vom Angeln zu Hause zu sein.“
„Ja, Papa.“
„Und ich habe dir versprochen, dass ich dir das Taschengeld streiche, wenn du später kommen solltest!“
„Ja, Papa. Aber da ich mein Versprechen nicht gehalten haben, brauchst du deins auch nicht zu halten.“

Am See brüllt ein Mann laut um Hilfe: „Help! Help!“ Ernesto, der gerade angelt und sich ruhig einen neuen Wurm aufzieht, brummelt vor sich hin: „Anstatt Englisch hättest du mal lieber Schwimmen gelernt ...“

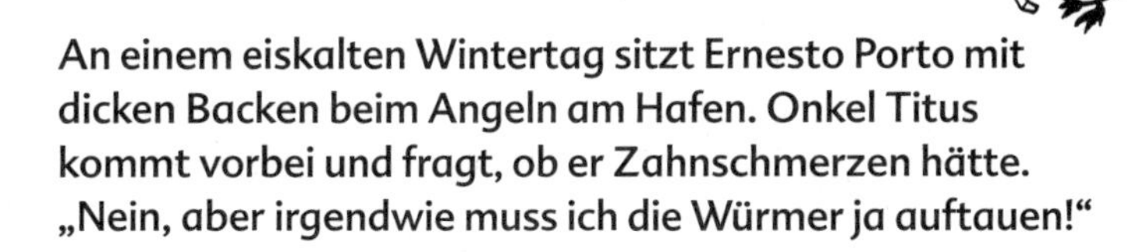

An einem eiskalten Wintertag sitzt Ernesto Porto mit dicken Backen beim Angeln am Hafen. Onkel Titus kommt vorbei und fragt, ob er Zahnschmerzen hätte. „Nein, aber irgendwie muss ich die Würmer ja auftauen!“

„Seit fünf Stunden schauen Sie mir jetzt beim Angeln zu. Möchten Sie nicht selbst einmal angeln?"
„Ich denke nicht daran. Dazu fehlt mir einfach die Geduld."

Polizist: „Hier ist das Angeln verboten! Sie müssen 80 Dollar Strafe zahlen!"
Ernesto Porto: „Ich angle nicht, ich bringe nur meinem Wurm schwimmen bei."
Polizist: „So, das ist etwas Anderes. Kann ich Ihren Regenwurm mal sehen?"
Ernesto zieht die Angelschnur samt Wurm aus dem Wasser: „Bitte sehr!"
Polizist: „Mein Lieber, Sie zahlen die Strafe doch. Der Wurm hat keine Badehose an und das Baden ohne Badehose ist bei Strafe verboten."

„Ich nehme Justus nie wieder mit zum Angeln!", sagt Peter verärgert. „Er hat alles verdorben."
„Warum?", will Bob wissen. „Hat er zu viel Lärm gemacht?"
„Nein, aber er hatte Hunger und alle Würmer aufgegessen."

Ein Mann ist mit seiner Frau im Angelladen und stöbert ein bisschen herum. Der Verkäufer kommt auf ihn zu und fragt, ob er ihm weiterhelfen kann. Der Mann antwortet: „Ja, ich hätte gern eine Angelausrüstung für meine Frau.“ Der Verkäufer darauf: „Tut mir leid, aber wir tauschen nicht.“

„Ist eure Wohnung wirklich so feucht?“
„Feucht? Gestern war ein Fisch in der Mausefalle!“

Die Frau des Anglers klagt einer Nachbarin ihr Leid: „Jetzt habe ich mal meinen Mann zum Angeln begleitet – und prompt alles falsch gemacht: Zu laut gesprochen, die falschen Köder genommen, viel zu früh die Angel eingezogen – und viel mehr gefangen als er ...!“

„Warum legen Sie die Gedecke so weit auseinander?“, fragt der Oberkellner die Serviererin.
„Heute Abend tagt der Anglerverein. Die brauchen Platz für Größenangaben.“

Zwei Angler erzählen einander von ihren Fängen. „Ich hatte heute einen kapitalen Hecht von 1,35 Metern. Und wie lief es bei dir?“
„Nicht so gut. Ich hatte einen Hänger. Mit viel Mühe habe ich dann ein altes Fahrrad rausgezogen. Und stell dir vor: Bei dem hat sogar das Licht noch gebrannt!“ – „Gibt's doch nicht!“
„Naja, gut, wenn du deinen Hecht um einen halben Meter kürzer machst, mach ich bei meinem Fahrrad das Licht aus.“

Ernesto Porto zu seinem Angler-Kollegen:
„Ich weiß warum die Fische heute nicht beißen!“
„Warum?“
„Die Würmer schmecken wirklich nicht!“

Ernesto Porto ist erstaunt über den großen Fischfang, den Peter in einem Eimer nach Hause schleppt.
„Du meine Güte, wo hast du denn so viele Fische gefangen?"
„Ganz einfach. Da vorne ist ein Weg mit einem Schild, auf dem ‚Privat' steht. Da geht man entlang bis zu dem Zaun mit der Tafel ‚Durchgang für Unbefugte verboten'.
Und dann kommt man bald an einen Teich, wo an einem Pfahl geschrieben steht: ‚Fischen verboten'. Sie können sich drauf verlassen – da beißt einer nach dem andern an!"

*Ernesto Porto sitzt im Hafen am Meer und angelt, mitten im Hafen treibt ein Mann und ruft „Hilfe! Ich kann nicht schwimmen!"
Darauf Ernesto: „Na und, ich auch nicht! Aber schreie ich deswegen so rum?"*

Mr Andrews geht im Hafen spazieren. Nach einer Weile sieht er Ernesto Porto beim Angeln, sieht ihm ein paar Minuten zu und sagt: „Es gibt doch nichts Langweiligeres als Angeln." Daraufhin dreht sich Ernesto zu ihm um und meint: „Doch, dabei zuzusehen."

Ernesto Porto hat einen Fisch gefangen, der doppelt so groß ist wie er selbst. Auf dem Heimweg begegnet er einem Angler mit einem halben Dutzend kleiner Fische.

„Guten Morgen!“, sagt Ernesto, legt seinen Fisch auf den Boden und wartet auf Beifall.

Der andere sagt eine Weile gar nichts. Dann meint er gelassen: „Nur den einen gefangen?“

Justus kommt völlig verdreckt vom Nachtangeln mit Peter und Bob nach Hause. Wortlos deutet Tante Mathilda auf die Badezimmertür.

„Lass mal“, wehrt er ab, „waschen ist völlig überflüssig. Peter und Bob holen mich morgen früh wieder zum Angeln ab.“

Justus, Peter und Bob sind beim Angeln. Sagt Peter: „Wir haben ja heute ganz schön viele Fische gefangen. Was machen wir denn mit unserem Fang?“
Antwortet Justus: „Na, wir teilen die Fische gerecht auf.“
Sagt Peter: „Gut, Bob, gib mir mal das Messer! Dann fange ich schon mal an, die Fische in drei Teile zu schneiden!“

Bei der Angelprüfung wird Peter vom Prüfer gefragt: „Kannst du mir mal sieben Raubfische nennen?“
Darauf Peter: „Vier Zander und drei Barsche!“

„Die Flundern sind ganz frisch“, sagt der Fischhändler, „heute erst angekommen.“
„Möglich“, meint Tante Mathilda misstrauisch, „aber wann sind sie abgereist?“

Zwei Angler sitzen im Hafen. Fragt der eine: „Sag mal Ernesto, die ganze Woche sitzt du und angelst, nur sonntags nicht, wieso denn?“
„Der Sonntag gehört ganz meiner Familie, da sitze ich vor dem Fernseher!“

Justus angelt. Plötzlich steht ein Polizist hinter ihm und schnauzt: „Mit welchem Recht angeln Sie eigentlich hier?" Gelassen dreht sich Justus um: „Mit dem mir gegebenem Recht des genialen Intellekts über die mir unterlegene animalische Kreatur!"
„Entschuldige bitte", meint der Polizist, „Aber man kann ja nicht alle neuen Gesetze kennen!"

Ein Schiff ortet ein fremdes Objekt, das seinen Weg versperrt. Der Kapitän funkt: „Bitte ändern Sie Ihren Kurs 15 Grad nach Norden, um eine Kollision zu vermeiden." Antwort: „Ich empfehle, Sie ändern Ihren Kurs 15 Grad nach Süden, um eine Kollision zu vermeiden." Der Kapitän: „Dies ist der Kapitän eines amerikanischen Armee-Schiffs. Ich sage noch einmal: Ändern Sie Ihren Kurs!"
Antwort: „Nein. Ich sage noch einmal: Sie ändern Ihren Kurs!"
Der Amerikaner wird wütend: „Dies ist das zweitgrößte Schiff in der Armee. Wir werden von drei Zerstörern, drei Kreuzern und mehreren Hilfsschiffen begleitet. Ich verlange, dass Sie Ihren Kurs 15 Grad nach Norden, das ist Eins-Fünf-Grad nach Norden, ändern, oder es werden Gegenmaßnahmen ergriffen, um die Sicherheit dieses Schiffes zu gewährleisten!"
Antwort: „Dies ist ein Leuchtturm. Sie sind dran."

Justus, Peter und Bob sind früh morgens mit einem Boot zum Angeln auf das Meer rausgefahren und angeln schon seit vier Stunden. Aber ohne Erfolg. Da sagt Peter: „Heute beißt nichts!" Eine halbe Stunde später antwortet Justus: „Sind wir zum Angeln hergekommen oder zum Quatschen?"

„Papa, wovon leben Fische?"
„Von dem was sie finden."
„Und wenn sie Nichts finden?"
„Dann fressen sie eben etwas Anderes."

Beim Angeln sagt Peter zu Bob: „Mist! Meine Füße sind eingeschlafen!"
„Du lieber Himmel! So, wie die riechen dachte ich, sie seien tot!"

Ernesto Porto geht im Winter angeln. Anschließend bestellt er bei Giovanni eine Kanne heißen Kaffee. „Mit Milch oder Zucker?“, fragt Giovanni. „Das ist mir egal, ich will meine Füße darin wärmen.“

„Eine Stunde musste ich kämpfen, bis der Fisch draußen war.“ „Ja, ja, so einen kleinen Fisch hatte ich auch schon mal am Haken.“

Peter kommt zum Metzger und zeigt geradewegs auf einen Schinken und sagt: „Ich hätte gern diesen Fisch dort.“
„Aber das ist doch ein Schinken.“
„Mich interessiert nicht, wie der Fisch heißt.“

Bob darf mit dem Vater zum Angeln mitgehen.
Stundenlang sitzen sie am Ufer, kein Fisch beißt an.
Abends fragt Bob bedrückt: „Sind wir so arm,
dass wir uns keinen Fisch kaufen können?"

„Ich möchte mal etwas Außer-
gewöhnliches unternehmen, etwas,
was ich noch nie getan habe."
„Wie wär's", meint Tante Mathilda,
„wenn du mal vom Angeln einen Hecht
mit heimbringen würdest?"

„Können Fische riechen?"
„Natürlich können Fische riechen –
besonders, wenn sie lange liegen ...!"

„Oh, ist mir schlecht!", jammert der Hai, nachdem er einen Passagier von einem sinkenden Kreuzfahrtschiff verschluckt hat. „Hast du einen Betrunkenen verputzt?", fragt ihn sein Nachbar. „Nein, einen Fahrstuhlführer, der kommt mir immer wieder hoch!"

Sitzen mehrere Angler zusammen am Stammtisch und reden über ihren Sport. „Ich angle aus Leidenschaft", sagt einer. Der Zweite erklärt: „Also, ich tue es wegen meiner Nerven, weil es mich beruhigt!" Der Dritte erklärt: „Und ich liebe die Natur." Der Vierte meint: „Also, für mich ist Angeln Sport!" Der Fünfte schweigt. Erst als ihn die Anderen fragend anblicken, sagt er verlegen: „Nun, ich angle, weil ich Fische fangen möchte."

„So klein und schon beim Schwarzangeln", sagt der Polizist zu Peter, den er mit einem Haselnussstecken beim Schwarzangeln an einem Tümpel erwischt hat. „Das werde ich aber deinem Lehrer erzählen." „Da müssen Sie bis nächstes Jahr warten, gerade sind Ferien!"

„Hallo, Ernesto, du fängst ja die Forellen wie der Blitz."
„Ja, der schlägt auch nur selten ein."

Justus, Peter und Bob gehen angeln. Am See angekommen, beginnt Peter in aller Gemütsruhe sein Angelzeug auszupacken. An den Haken steckt er sorgfältig statt des Wurms eine Kirsche. „Sag mal, ich sehe wohl nicht richtig!" wundert sich Justus. „Was soll das denn?"
„Himmel, sei doch leise!", antwortet Peter. „Das ist mein Spezialtrick. Ich überliste die Fische - der Wurm ist getarnt und lauert in der Kirsche!"

Zufällig hört der Kapitän, wie ein Matrose zu einem anderen sagt, er solle den Fußboden schrubben. Schnauzt der Kapitän den Matrosen an: „Wir sind hier auf einem Schiff, und hier heißt das nicht ‚Fußboden' sondern ‚Deck', und vorne ist der ‚Bug' und hinten das ‚Heck'. Merk dir das gefälligst, sonst werfe ich dich durch das kleine, runde Fenster da hinten!"

Ernesto Porto kommt mit einer Plastiktüte in der Hand vom Hafen. In der Plastiktüte befinden sich Wasser und zwei lebende Fische. Ein Polizist hält ihn auf und fragt, was er da in der Tüte habe.
„Das sind meine zwei zahmen Hausfische.
Jeden Tag bringe ich sie zum Hafen und lasse sie eine Weile schwimmen. Dann pfeife ich, sie kommen herbei und springen wieder in die Tüte."
Ungläubig hört der Polizist zu: „Das glaube ich nicht. Fische können das nicht. Sie sind ein Schwarzfischer und wollen mich doch nur veräppeln!"
„Nein, niemals!", entgegnete Ernesto, „kommen Sie, ich zeige es Ihnen!"
Nun doch neugierig geworden, folgte ihm der Polizist zum Hafen und sieht zu, wie die beiden Fische sich mit munterem Flossenschlag davonmachen. Sie warten eine Weile und nichts geschieht.
„Nun?" fragt der Polizist.
„Was nun?", fragt Ernesto zurück.
„Ich meine, wann pfeifen Sie sie zurück?"
„Wen soll ich zurückpfeifen?"
„Na, die beiden Fische!"
Darauf verzieht sich Ernestos Mund zu einem feinen Lächeln: „Welche Fische ...?"

Der alte Kapitän hat eine merkwürdige Angewohnheit. Jeden Morgen öffnet er den Safe in seiner Kajüte, nimmt einen kleinen Zettel heraus, liest aufmerksam was draufsteht, und legt dann den Zettel zurück in den Safe. Alle Crewmitglieder wissen davon und wundern sich, was wohl auf dem Zettel stehen mag, aber keiner traut sich, den Kapitän zu fragen.
Eines Tages stirbt der alte Kapitän. Nun will die Crew es aber wissen. Sie nehmen den Schlüssel des toten Kapitäns, öffnen den Safe, nehmen den Zettel und lesen erstaunt: „Backbord = Links. Steuerbord = Rechts."

Steward zum Kapitän: „Herr Kapitän, wir haben einen blinden Passagier an Bord, was sollen wir mit ihm machen?"
„Werfen Sie ihn sofort über Bord!"
Zehn Minuten später kommt der Steward wieder: „Und was machen wir jetzt mit dem Hund?"

Was waren die letzten Worte eines U-Boot-Kapitäns?
„Macht mal das Fenster auf. Es ist so schlechte Luft hier."

Der Kapitän fragt den neuen Matrosen:
„Sie wollen also bei mir anheuern.
Können Sie denn überhaupt schwimmen?“
„Nein, aber in 23 Sprachen um Hilfe rufen.“

Der neue Kapitän hält vor den Matrosen eine Rede: „Freunde, das ist nicht nur irgendein Schiff wie jedes andere, es ist auch nicht mein Schiff, sondern es ist unser Schiff!“ Leise tönt es aus dem Hintergrund: „Dann lasst es uns verkaufen!“

Ein Lehrer fragt seine Schüler wie man die Geschöpfe nennt, die im Wasser und an Land leben können. Justus meldet sich und antwortet: „Matrosen!“

Wie nennt man einen Matrosen, der sich nie wäscht? Meerschweinchen!

Ein etwas dickerer Mann stürmt mit zwei Koffern auf den Landungssteg, schleudert sein Gepäck auf das zwei Meter vom Ufer entfernte Schiff und springt tollkühn hinüber. Stolz schnauft er: „Sehen Sie, ich habe es noch geschafft!“
Lächelt der Kapitän: „Kompliment, mein Herr, aber wir legen erst an.“

Auf einer Galeere tritt der Chef-Trommler vor die Rudersklaven und verkündet: „Ich habe eine gute und eine schlechte Nachricht für euch. Die gute Nachricht: Es gibt heute Mittag die doppelte Ration. Die schlechte Nachricht: Der Kapitän will heute Nachmittag Wasserski fahren.“

„Hör zu“, sagt der Schwimmlehrer zu Bob, der trotz monatelangen Unterrichts noch immer nicht schwimmen kann, „wenn dein Schiff mal untergeht, dann springst du am besten über Bord, lässt dich absacken bis auf den Grund und rennst, so schnell du kannst, an Land. Anders schaffst du‘s nie!“

„Soll ich Ihnen das Mittagessen in die Kabine bringen?“, fragt der Ober Onkel Titus, der seekrank ist. „Oder sollen wir es gleich für Sie über Bord werfen?“

Auf einer Seereise erkundigt sich Tante Mathilda beim Kapitän: „Geht so ein Schiff eigentlich öfter unter?“ „Nein“, sagt der Kapitän und grinst, „eigentlich nur einmal – dann bleibt es meistens unten.“

Justus, Peter und Bob sollen die Höhe eines Mastes messen. Mühsam klettert Peter hinauf. Als er wieder unten ist, meint Justus: „Wir hätten den Mast umklappen sollen, dann hätte er sich leichter messen lassen." Meint Peter: „Aber wir sollen doch nicht die Länge, sondern die Höhe messen!"

Welche drei Worte machen einen Hai glücklich? Mann über Bord!

Alles deutet darauf hin, dass ein heftiger Sturm bevorsteht. Justus, Peter und Bob stehen an Deck. Justus sagt: „Oh weh, wenn das Schiff bei dem Sturm nur nicht untergeht!" Antwortet Bob: „Das kann dir doch egal sein, es ist doch nicht dein Schiff!"

Tante Mathilda macht zum ersten Mal in ihrem Leben eine Seereise und erlebt dabei ausgerechnet einen schweren Sturm. Als es immer schlimmer wird, verlangt sie den Kapitän zu sprechen.
„Herr Kapitän“, fragt Tante Mathilda ängstlich, „wie weit sind wir denn hier überhaupt vom Land entfernt?“
„Nur ungefähr hundertfünfzig Meter“, erwidert er lächelnd.
„Das ist ja beruhigend“, sagt sie und atmet erleichtert auf. „Und nach welcher Richtung?“
„Nach unten“, entgegnet der Kapitän.

Bei schwerer See hat der Kapitän zwölf Fahrgäste zum Dinner eingeladen. Vor dem Auftragen der Speisen hält er eine kleine Ansprache: „Meine Damen und Herren, ich hoffe, dass Sie alle zwölf eine gute Fahrt haben werden und dass wir zehn, wollte sagen: wir sechs uns bei diesem Dinner etwas näher kommen können ... Und da wir zu viert sind, könnten wir nachher eine Partie Bridge spielen ... oder Domino zu zweit... Steward, Sie können abräumen, ich esse nicht gern allein.“

Treffen sich zwei Matrosen, der eine hat einen Haken als Hand.
Fragt der andere: „Was ist dir denn passiert?“
„Ach weißt du, ich bin in der Ankerkette hängen geblieben, und um mich zu retten, mussten die meine Hand abtrennen.“
Eine Woche später treffen sie sich wieder. Nun hat der mit der Hakenhand auch eine Augen-binde. „Was hast du denn da gemacht?“, fragt der andere Matrose.
„Ich hatte gestern Wache an Deck, und eine Möwe hat mir ins Auge geschissen.“
„Deshalb braucht man doch keine Augenbinde! Hättest es doch rauswischen können!“
„Hab ich ja, aber mit der falschen Hand.“

Ein Dampfer, der auch Passagiere an Bord hat, ist bei stürmischem Wetter in Seenot geraten. Um dies, den in der Nähe fahrenden Schiffen anzuzeigen, und Hilfe von ihnen zu bekommen, lässt der Kapitän eine Anzahl von Leuchtkugeln in die nächtliche Luft schießen. Da tritt Onkel Titus an ihn heran und sagt: „Herr Kapitän, wir wissen genau, wie es um das Schiff steht. Halten Sie uns nicht für so dumm, dass wir uns jetzt durch die Vorführung eines Feuerwerks von der Gefahr ablenken lassen!“

Der Kannibalenhäuptling ist Ehrengast auf dem Kreuzfahrtschiff. Als man ihm die Speisekarte reicht, schüttelt er nur den Kopf: „Bringen Sie mir bitte die Passagierliste!“

Porters Einkaufswitze

Mr Andrews fragt einen Altwarenhändler: „Sagen Sie, was verlangen Sie denn für den kleinen, fetten, hässlichen Hund dahinten rechts?" Sagt der Altwarenhändler: „Pssst! Etwas leiser, bitte! Das ist doch der Geschäftsinhaber!"

Onkel Titus schickt Justus zum Brötchen holen um die Ecke.
„Hier hast du vier Dollar. Kauf davon bitte zwei Wurstbrötchen. Eins bringst du dann mir und das andere darfst du essen."
Eine viertel Stunde später kommt Justus fröhlich mampfend zurück – und gibt seinem Onkel zwei Dollar. „Die hatten leider nur noch ein Wurstbrötchen."

Der Sohn zu seinen Eltern: „Wenn ihr meiner Schwester eine Flöte kauft, dann will ich aber Rollschuhe!"
„Warum das denn?",
fragen seine Eltern erstaunt.
„Na, damit ich wegfahren kann",
antwortet er, „wenn sie übt!"

Der dicke Mann steigt in der Apotheke
auf die neue supermoderne Waage.
Da ertönt eine Roboterstimme:
„Bitte immer nur eine Person!“

„Justus, ich habe jetzt endlich das
ideale Geburtstagsgeschenk für dich
gefunden“, sagt Peter voller Begeisterung.
„Ach ja?“, fragt Justus nach.
„Und was willst du mir schenken?“
„Eine nagelneue Füllung für
deine Luftmatratze!“

Tante Mathilda stürzt in den Laden und ruft: „Schnell, schnell, eine Mausefalle! Ich muss den Bus noch erwischen!“
„Tut mir leid, aber so große Fallen führen wir nicht.“

Im Laden: „Ich brauche einen Spiegel."
„Einen Handspiegel?"
„Nein, fürs Gesicht."

Onkel Titus kommt in ein Elektrogeschäft.
Onkel Titus: „Ich hätte gern drei kaputte Glühbirnen!"
Verkäufer: „Wie bitte?"
Onkel Titus: „Ich hätte gern drei kaputte Glühbirnen!"
Verkäufer: „Wieso kaputte?"
Onkel Titus: „Ich will mir eine Dunkelkammer einrichten!"

„Dieses Auto wollen Sie mir verkaufen?", zischt Tante Mathilda aufgebracht, „die Reifen sind ja alle platt."
Kontert der Verkäufer: „Dafür sind die Sitzbezüge aber wie neu."

Mr Andrews möchte Bob eine Freude machen
und ihm einen Hund kaufen.
Er fragt den Verkäufer: „Ist dieser Hund auch treu?"
Der Verkäufer antwortet: „Aber, natürlich.
Viermal habe ich ihn schon verkauft und er
ist immer wieder zurückgekommen!"

Verkäufer: „Die neuen Schuhe
werden in den ersten Tagen
vielleicht noch etwas drücken."
Kunde: „Das macht nichts.
Ich wollte sie sowieso erst in
der nächsten Woche anziehen."

*„Die Hosen passen doch wunderbar!",
meint der Verkäufer zum Kunden.
„Ich weiß nicht recht", erwidert der,
„unter den Armen kneifen sie ein wenig!"*

Peter ist eingefleischter Tierschützer. Als er sich in einem Kaufhaus einen neuen Mantel kaufen will, schaut er auf das Etikett und giftet den Verkäufer an: „Wie viele Polyester habt ihr denn hierfür wieder umgebracht?“

Kommt ein Mann in einen Baumarkt und fragt den Verkäufer: „Ich möchte gerne ein 8er Loch bohren, bitte geben sie mir einen 3er- und einen 5er-Bohrer.“ Die fachkundige Antwort: „Nehmen sie zwei 4er-Bohrer, dann ersparen sie sich das Umspannen.“

Der Verkäufer: „Diesen Mantel können Sie zu jeder Jahreszeit tragen.“
„Auch bei warmem Wetter?“
„Selbstverständlich, bei warmem Wetter tragen Sie ihn über dem Arm.“

„Ich hätte gern sechs Mausefallen."
„Nehmen Sie sie gleich mit?"
„Nein! Ich schicke die Mäuse vorbei!"

„Ich hätte gern zwölf rote Rosen!"
„Lange?"
„Was denn, Sie vermieten die Dinger auch?"

„Mit einer kleinen Änderung würde ich gern dieses Kleid nehmen."
„Und was soll geändert werden, gnädige Frau?"
„Der Preis!"

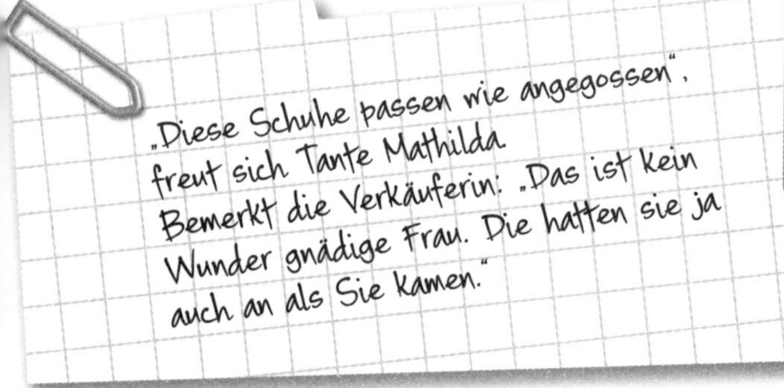

„Ist dieses Hemd bügelfrei?", fragt Mr Shaw.
„Na klar", sagt die Verkäuferin. „Ich habe vor dem Einpacken alle Bügel herausgenommen!"

„Für die Ferien suche ich einen wirklich spannenden Krimi."
„Einen wirklich spannenden Krimi?", überlegt der Buchhändler. „Dann nehmen Sie diesen. Da erfahren Sie erst auf der letzten Seite, dass der Butler alle umgebracht hat."

Onkel Titus kommt an einem Brezelstand vorbei, legt 50 Cent auf die Theke – und geht weiter, ohne eine Brezel zu nehmen. Am nächsten Tag kommt er wieder vorbei, legt seine 50 Cent auf die Theke und nimmt wieder keine Brezel mit. So geht es drei Monate weiter. Jeden Tag kommt er vorbei, bezahlt 50 Cent und nimmt keine Brezel. Eines Tages legt Onkel Titus wieder seine 50 Cent auf die Theke und will gerade wieder weitergehen, als ihn die Verkäuferin anspricht:
„Halt, mein Herr, einen Moment bitte!"
„Ich wusste, dass Sie mich irgendwann fragen würden, warum ich nie eine Brezel nehme",
sagt Onkel Titus und grinst.
„Nein", antwortet die Verkäuferin.
„Ich wollte Ihnen nur sagen, dass die Brezeln jetzt 60 Cent kosten."

„Sind Sie zu Besuch hier?", fragt der Friseur den fremden Kunden.
„Nein, zum Haare-schneiden!"

Im Hutgeschäft: „Würden Sie bitte für mich den grünen Hut aus dem Schaufenster holen?“
„Aber gerne, gnädige Frau – mach ich sofort!“
„Vielen Dank! Wissen Sie, über dieses abscheuliche Ding ärgere ich mich nämlich jedes Mal, wenn ich hier vorbeikomme!“

Das Punker-Girl fragt die Verkäuferin im Kaufhaus: „Kann ich die Klamotten umtauschen, wenn sie meinen Eltern gefallen sollten?“

„Oh! Diese Waschmaschine ist wirklich sehr preiswert.“
„Verdienen Sie denn überhaupt etwas daran?“, fragt die Kundin. Nickt der Verkäufer und meint: „Erst an den Reparaturen.“

„Ich hätte gern eine Deutschland-Fahne!“
„Schwarz-Rot-Gold?“
„Gut, dann nehme ich eine rote!“

Onkel Titus wird von Tante Mathilda losgeschickt, um Schnecken zu kaufen, was er auch brav erledigt. Auf dem Rückweg geht er noch auf ein kurzes Bier in die Kneipe. Aus dem kurzen wird ein langes Bier. Als er nach fünf Stunden vor der Haustür steht, bekommt er doch Angst vor seiner Frau. Also stellt er die Schnecken in Zweierreihen vor der Tür auf und klingelt. Als Tante Mathilda aufmacht sagt er: „So, hopp, hopp, nur noch ein paar Schritte und wir sind zu Hause.“

Onkel Titus ist empört: „Bei diesem Sauwetter soll ich einkaufen gehen? Da jagt man ja keinen Hund auf die Straße!“
Erwidert Tante Mathilda: „Ich habe ja auch nicht gesagt, dass du den Hund mitnehmen sollst!“

Tante Mathilda will einkaufen gehen. Sie ruft: „Justus, schau doch bitte mal im Badezimmer nach, wie viel Zahnpasta noch in der Tube ist!“ Eine Weile ist es ruhig, dann ruft Justus: „Sie reicht genau von der Badewanne bis zum Wohnzimmerschrank!“

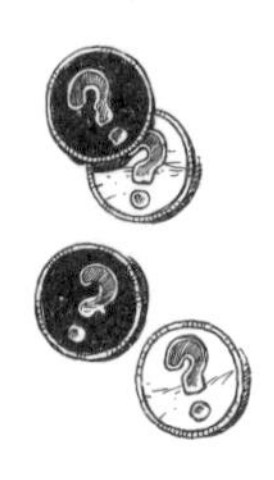

Im Schuhgeschäft fleht der kleine Tausendfüßer: „Bitte, Mami, kauf mir keine Schnürschuhe!“

Kassierer im Kino: „Das ist nun schon die siebte Eintrittskarte, die du innerhalb einer Stunde kaufst.“ Peter: „Was soll ich denn machen? Am Eingang steht ein Kerl, der sie mir jedes Mal zerreißt!“

Brillenträger im Musikgeschäft: „Ich nehme die Ziehharmonika dort drüben und die Trompete da!"
Verkäufer: „Den Feuerlöscher können sie mitnehmen, aber die Heizung bleibt hier!"

Mit seinem verbeulten Auto fährt Onkel Titus an die Tankstelle.
„Volltanken, bitte! Und dann noch waschen."
Fragt der Tankwart: „Bügeln auch?"

Im Laden sagt Porter zur Kundin:
„Sehen Sie mal, diese Waschmaschine kann ich Ihnen zum Katalogpreis verkaufen!"
„Aha", sagt die Kundin.
„Und was kostet der Katalog?"

Im Sportgeschäft sagt Tante Mathilda:
„Gestern habe ich mir ein Pferd gekauft.
Nun bräuchte ich die passenden Klamotten."
„Kein Problem", sagt der Verkäufer.
„Welche Größe hat Ihr Pferd denn?"

Fragt der Kunde den Bäcker: „Gestern habe ich in meinem Brötchen fünf Schrotkugeln gefunden. Wie kann das sein?"
Meint der Bäcker: „Tja, dann hat wohl einer die Flinte ins Korn geworfen."

Ein Bär kommt in die Konditorei und sagt:
„Ich möchte bitte einmal Rumkugeln!"
Sagt die Verkäuferin:
„Aber bitte nicht hier im Laden!"

Justus: „Onkel Titus, kannst du bitte Tante Mathilda nicht verraten, dass ich ihr zum Geburtstag Schokolade gekauft habe?"
„Natürlich, das soll eine Überraschung werden, stimmt's?"
„Nein, ich hab' sie schon aufgegessen!"

„Haben Sie auch Postkarten mit Möhren drauf?"
„Warum denn mit Möhren?"
„Ich will sie meinem Pferd schicken."

Ein Pferd kommt in den Gemischtwarenladen. Fragt Porter: „Warum machen Sie so ein langes Gesicht?"

Bob kommt in die Zoohandlung:
„Ich hätte gerne ein Kaninchen."
„Aber klar, welches hättest du denn gern?
Das niedliche bunte hier oder das graue mit
den lustigen Ohren da hinten?"
„Ich denke, das ist meiner Python egal ...!"

Onkel Titus ist im Tiergeschäft auf
der Suche nach einem Papagei:
„Was kann denn der Bunte da hinten?"
Der Verkäufer: „Der spricht drei Fremd-
sprachen."
„Und was kostet er?"
„1.000 Dollar"
Onkel Titus: „Und der Gelbe direkt dahinter?"
„Der beherrscht fünf Fremdsprachen,
kann singen und löst Kreuzworträtsel."
„Und was kostet er?"
„3.000 Dollar."
Onkel Titus: „Und der unscheinbare Graue
in der Ecke? Was kostet der?"
Der Verkäufer: „10.000 Dollar."
Onkel Titus: „Das ist aber sündhaft teuer!
Was kann der denn? Spricht er auch?"
Sagt der Verkäufer: „Ich habe keine Ahnung,
was er kann. Und gesprochen hat er auch
noch nie. Aber die beiden anderen sagen
‚Chef' zu ihm!"

Peter beim Bäcker: „Ich hätte gerne 99 Brötchen." Meint der Bäcker: „Nehmen Sie 100, dann bekommen Sie zehn gratis." Darauf Peter: „Sind Sie denn wahnsinnig? Wer soll denn die alle essen?"

Zwei Frauen unterhalten sich beim Friseur: „Ich habe gerade gelesen, dass quer Gestreiftes dick macht." „Was für ein Blödsinn! Wer isst denn schon quer Gestreiftes?"

Sagt Mr Shaw in der Apotheke: „Ich hätte gern eine Packung Acetylsalicylsäure." Der Apotheker: „Sie meinen Aspirin, oder?" Mr Shaw: „Genau, ich kann mir nur dieses verdammte Wort nie merken."

Tante Mathilda hebt ihr ganzes Geld in bar ab. Keine zehn Minuten später kommt sie erneut in die Bank und zahlt alles wieder ein. „Warum haben Sie denn das gemacht?", möchte der Kassierer wissen. „Na, man wird doch wohl noch nachzählen dürfen, oder?"

Skinnys Ganovenwitze

Vorsitzender zum Zeugen:
„Erkennen Sie in dem Angeklagten den Mann wieder, der Ihnen Ihr Auto gestohlen hat?“
Der Zeuge zögert: „Nach der Rede des Verteidigers bin ich mir nicht mehr sicher, ob ich überhaupt jemals ein Auto besessen habe.“

Richter zu Skinny Norris:
„Warum hast du den Einbruch eigentlich am helllichten Tag begangen?"
„Termindruck, Herr Richter. Abends wollte ich noch ein anderes Ding drehen."

„Angeklagter, wollen Sie noch etwas sagen, bevor ich das Urteil verkünde?“
„Ja, Herr Richter, es wäre schön, wenn Sie in Ihrem Urteilsspruch das Wort ‚Freispruch’ unterbringen könnten.“

Richter: „Angeklagter, erst nahmen Sie dem Kläger die Brieftasche weg und dann ohrfeigten Sie ihn auch noch! Warum haben Sie das getan?“
„Weil die Brieftasche leer war!“

Skinny Norris: „... also, Herr Richter, Ihnen kann man es aber auch nie recht machen! Breche ich ein, werde ich verurteilt, breche ich aus, werde ich auch verurteilt ...“

Der Angeklagte fragt seinen Anwalt, wie lange die ganze Angelegenheit wohl dauern werde. Anwalt: „Für mich drei Stunden und für Sie wohl so drei Jahre ...“

Im Gerichtssaal.
Richter: „Was genau war denn in dem Brief?"
Skinny Norris: „Sag ich nicht, Briefgeheimnis!"
Richter: „Was haben Sie demjenigen, den Sie daraufhin angerufen haben wollen, gesagt?"
Skinny Norris: „Sag ich auch nicht, Fernmeldegeheimnis."
Richter: „Und wie viel Geld haben Sie nun letztendlich bekommen?"
Skinny Norris: „Sag ich nicht, Bankgeheimnis!"
Richter: „Nun dann verurteile ich sie zu zwei Jahren Haft!"
Skinny Norris: „Warum das?"
Richter: „Staatsgeheimnis."

Richter: „Angeklagter, wann arbeiten Sie eigentlich?"
„Dann und wann."
„Und was?"
„Dies und das."
„Und wo?"
„Hier und dort."
Gut, Sie kommen ins Gefängnis."
„Und wann werde ich wieder entlassen?"
„Früher oder später."

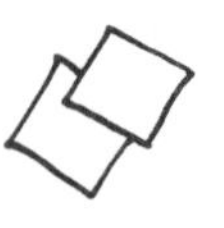

Richter zum Angeklagten: „Wo waren Sie eigentlich am 30. April?"
„Ich war hier, weil Sie wissen wollten, wo ich am 11. Januar war."

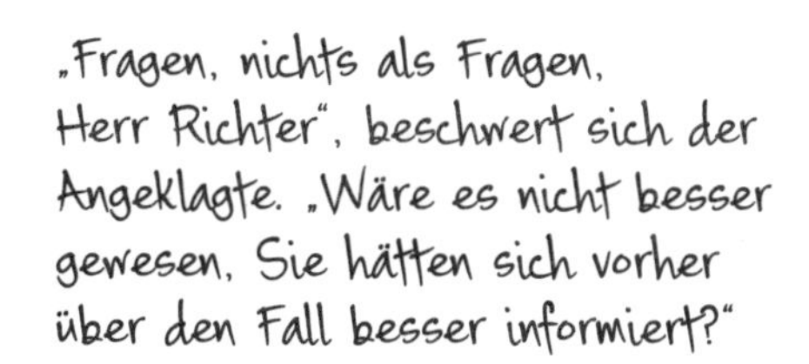

„Fragen, nichts als Fragen, Herr Richter“, beschwert sich der Angeklagte. „Wäre es nicht besser gewesen, Sie hätten sich vorher über den Fall besser informiert?“

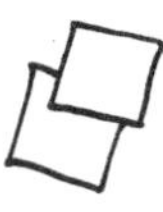

Der Richter wird gefragt: „Wenn jemand Obst klaut und einen Saft daraus presst, wird er dann als Dieb oder als Erpresser bestraft?“

Der Richter verurteilt den Angeklagten mit den Worten: „Ich hoffe, Sie das letzte Mal gesehen zu haben.“
„Wieso, Herr Vorsitzender. Gehen Sie etwa in Pension?“

„Frau Zeugin, Sie haben uns ja ein falsches Alter angegeben."
Zeugin: „Falsch nicht, Herr Richter, nur eines von früher."

Bei Gericht in Grönland fragt der Richter den Angeklagten: „Wo waren Sie in der Nacht vom 18. November zum 16. März?"

Richter zu Skinny Norris: „Wo waren Sie zwischen vier und fünf?" Skinny überlegt und antwortet: „Im Kindergarten, Herr Richter!"

Richter: „Angeklagter, der Herr Staatsanwalt hat gegen Sie zwei Jahre Gefängnis beantragt. Haben Sie noch etwas hinzuzufügen?"
„Nein, nein. Ich bin zufrieden, wenn Sie nichts hinzufügen."

„Angeklagter, Sie haben also Ihrem Nachbarn die Geige gestohlen?"
„So ist es, Herr Richter!"
„Warum haben Sie das getan? Sie können doch gar nicht Geige spielen."
„Ja, schon, aber mein Nachbar eben auch nicht ..."

Richter: „Wie weit warst du vom Unfallort entfernt?"
Justus: „18,72 Meter."
„Wieso weißt du das so genau?"
„Ich habe sofort nachgemessen, weil ich dachte, irgendjemand wird mich sicherlich danach fragen ..."

Der Richter fragt: „Angeklagter, warum ziehen Sie plötzlich Ihre Aussage zurück?“ „Mein Anwalt hat mich von meiner Unschuld überzeugt!“

Der Richter will vom 90-jährigen Angeklagten wissen: „Wie können Sie in Ihrem Alter noch ein Fernsehgerät stehlen?“ „Was soll ich denn tun, in meiner Jugend gab es doch noch kein Fernsehen!“

„Wieso haben Sie den Ring, den Sie gefunden haben, nicht abgegeben?“, fragt der Richter Skinny Norris. „Wieso? Auf dem Ring steht doch: ‚Auf ewig dein!‘“

Vor Gericht: „Angeklagter, warum haben Sie diesen wertvollen Füller gestohlen?“
„Weil ich endlich einen Schlussstrich unter meine Vergangenheit ziehen wollte!“

„Wie lange kennen Sie Ihren Komplizen?“, fragt der Richter.
„Erst drei Wochen. Aber als er mir von seinen vielen Vorstrafen erzählte, hatte ich sofort Vertrauen zu ihm!“

„Angeklagter“, fragt der Richter, „war bei dem Teppichdiebstahl auch Ihre Frau dabei?“
„Ja, Herr Richter.“
„Also haben Sie die Tat gemeinsam begangen?“
„Nein, Herr Richter, meine Frau hat nicht einen Finger gerührt. Sie ist nur mitgekommen, um das Muster auszusuchen.“

Der Richter fragt den Einbrecher, warum er das wertvolle Silber beim letzten Einbruch gestohlen, aber die 5000 Dollar auf der Kommode liegen ließ. „Hören Sie auf“, jammert der Angeklagte, „meine Frau hat mir deshalb schon genug Vorwürfe gemacht!“

Zwei Verbrecher unterhalten sich. „Was ist dein Lieblingsgericht?“ „Ich habe keins! Bis jetzt haben mich alle schuldig gesprochen ...“

Das Gericht ist der Meinung, dass der Tresorknacker seine Tat nicht allein ausgeführt haben kann. Der Richter fragt ihn also, ob er nicht doch einen Komplizen hatte. Der Angeklagte wehrt entsetzt ab: „Aber nein, Herr Vorsitzender. Es gibt heutzutage so viele unehrliche Leute, dass ich lieber alleine arbeite.“

„Wenn Sie mich noch einmal laufen lassen“, sagt der Taschendieb zur Richterin, „fange ich ein ehrliches Leben an!“
„Wie wollen Sie das machen?“
„Ich würde damit beginnen, dass ich Ihnen Ihr goldenes Armband zurückgebe!“

„Angeklagter“, fragt der Richter, „warum gaben Sie bei der Festnahme einen falschen Namen an?“
„Ich war wütend, Herr Richter. Und wenn ich wütend bin, dann kenne ich mich selbst nicht mehr!“

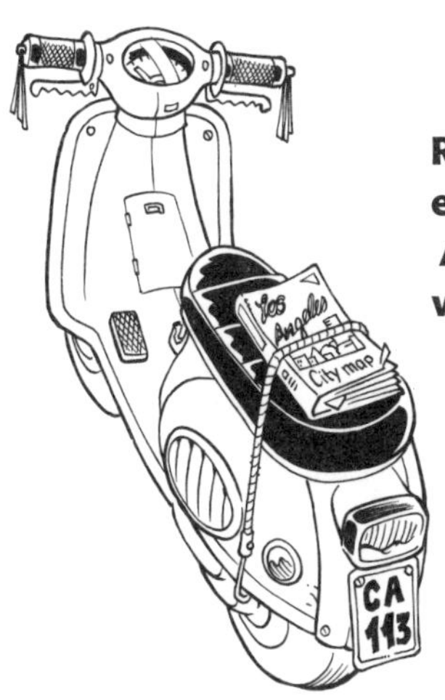

Richter: „Das Gericht ist bereit, Ihnen einen Pflichtverteidiger zu bestellen.“
Angeklagter: „Ein Entlastungszeuge wäre mir lieber!“

Der Richter vernimmt Skinny Norris: „Angeklagter, Sie sind auf frischer Tat gefasst worden. Sie haben an der Haustür Pillen für die ‚ewige Jugend' verkaufen wollen. Sind Sie einschlägig, d.h. in gleicher Sache bereits vorbestraft?"
Angeklagter: „Ja, Herr Vorsitzender, schon dreimal, nämlich 1648, 1813 und zuletzt 1904."

Richter: „Zeuge, ich muss dich auffordern, immer nur das auszusagen, was du mit eigenen Augen gesehen und nicht, was du von anderen gehört hast. Zuerst muss ich einige Fragen zur Person an dich stellen. Justus Jonas, wann wurdest du geboren?"
Justus: „Nun, Herr Richter, das weiß ich leider nur vom Hörensagen."

Der Richter zum Angeklagten: „Sie sollten langsam wirklich versuchen, ein anderer Mensch zu werden!"
„Aber das habe ich doch versucht! Es hat mir sechs Monate wegen Urkundenfälschung und Amtsanmaßung eingebracht!"

Der Richter zu Skinny Norris: „Ich dachte, ich hätte dir gesagt, dass ich dich hier nie wiedersehen wollte!" Skinny: „Euer Ehren, genau das habe ich ja vergebens versucht den Polizisten klarzumachen, aber sie wollten ja nicht hören ..."

Richter: „Angeklagter, wie haben Sie den gut gesicherten Tresor geknackt?"
Angeklagter: „Das kann ich Ihnen unmöglich erzählen. Im Saal sitzt doch meine gesamte Konkurrenz!"

Richter zum Angeklagten: „Sie sind ja schon mehr als einmal vorbestraft!"
„Ja, aber auch schon mehr als einmal freigesprochen worden!"

Ein Mann erkundigt sich beim Rechtsanwalt nach den Gebühren für eine Rechtsauskunft.
„Herr Rechtsanwalt, darf ich Sie etwas fragen?“
„Nur zu.“
„Was berechnen Sie denn so als Gebühr für eine Rechtsberatung?“
„500 Dollar für drei Fragen“, antwortet der Rechtsanwalt.
„Ist das nicht verdammt teuer?“ fragt der Mann.
„Ja“ erwidert der Rechtsanwalt.
„Und wie lautet Ihre dritte Frage?“

Richter zum Landstreicher:
„Der Kläger behauptet, Sie hätten ihn auf offener Straße überfallen.“
„Moment, ich habe ihn lediglich um ein Darlehen gebeten.“
„Mit vorgehaltener Pistole?“
„Die wollte ich ihm als Sicherheit anbieten!“

„Angeklagter, warum lügen Sie so viel?“
„Das kommt daher, weil Sie so viel fragen!“

Ein Bäcker gibt vor Gericht zu: „Ja, ich gestehe, das Sägemehl in den Kuchen gemischt zu haben." Der Anwalt ergänzt sofort: „Jedoch ist mein Mandant unschuldig. Er hat ihn explizit als Baumkuchen ausgeschildert und verkauft!"

Richter: „Ihr Name?"
Zeugin: „Mathilda Jonas"
Richter: „Ihr Beruf?"
Zeugin: „Ich helfe meinem Mann im Gebrauchtwarenhandel Titus Jonas."
Richter: „Ihr Alter?"
Zeugin: „29 Jahre und ein paar Monate."
Richter – leicht grollend: „Hm, wie viele Monate?"
Zeugin – leise verschämt: „149 ..."

„Angeklagter, was hat Sie vor die Schranken des Gerichts geführt?", will der Richter wissen. „Mein fester Glaube, Herr Vorsitzender", erklärt der Angeklagte ganz ernst. „Ihr fester Glaube?" „Ja, ich habe fest geglaubt, die Bank hätte keine Alarmanlage."

Der Richter: „Angeklagter, haben Sie für die Tatzeit ein Alibi?“
„Nein, bei dem Einbruch hat mich leider keiner gesehen!“

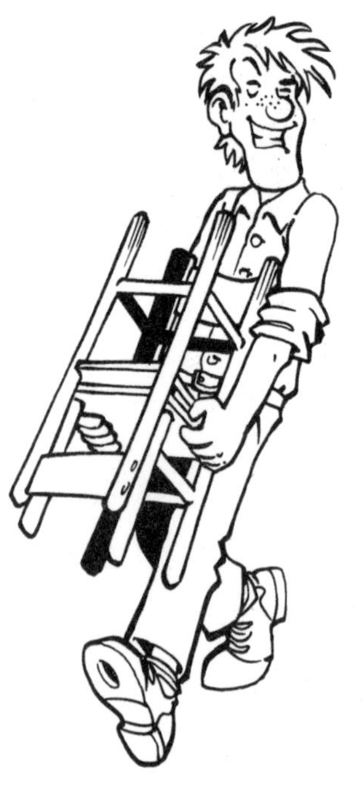

Frohlockt der Richter: „Ha, Angeklagter! Jetzt habe ich Sie doch noch beim Lügen erwischt! Während Ihre drei Schwestern übereinstimmend ausgesagt haben, sie hätten zwei Schwestern und einen Bruder, behaupten Sie, Sie hätten gar keinen Bruder!“

Der Angeklagte sagt zum Richter: „Ich habe nicht ‚Saubär' zu meinem Nachbarn gesagt, sondern ‚sauber'!“

Vor Gericht: „Angeklagter, wann haben Sie Geburtstag?"
„Zwölfter Juli!"
Richter lauter: „Und welches Jahr?!"
„Na, jedes Jahr natürlich!"

„Herr Verteidiger, Sie können sich kurzfassen. Ihr Mandant hat die Einbruchserie bereits zugegeben."
„Herr Vorsitzender, Sie glauben einem gewohnheitsmäßigen Dieb mehr als mir?"

„Ich verstehe nicht", sagt der Richter zu Skinny Norris, „warum Sie noch leugnen. Ich kann Ihnen fünf Zeugen bringen, die gesehen haben, wie Sie das Fahrrad aus dem Kaufhaus schaffen und damit abhauen wollten!"
„Na und?" sagt Skinny. „Ich kann Ihnen fünf Millionen Zeugen bringen, die das nicht gesehen haben!"

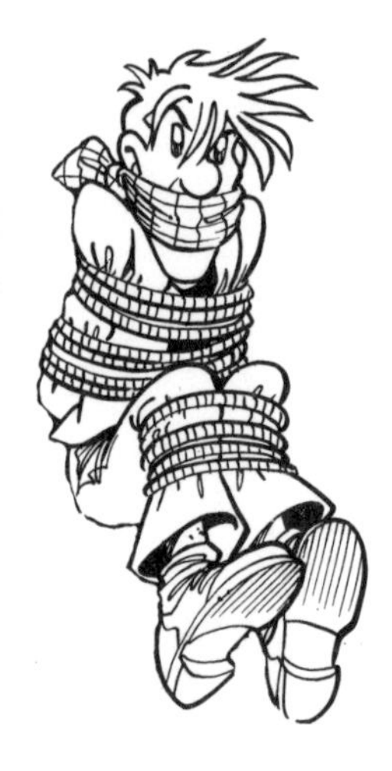

Rolf ist von Gangstern gekidnappt worden.
Bei den Eltern meldet sich ein Anrufer:
„Wenn Sie nicht bis morgen eine Million Dollar bereit haben, sehen Sie Ihren Sohn nie wieder!"
„Was machen wir bloß?" schluchzt die Mutter.
„Abwarten!" sagt der Vater grimmig.
Am nächsten Tag meldet sich der Anrufer wieder: „Eine halbe Million Dollar, sonst …"
„Abwarten", meint der Vater.
Nächster Tag, nächster Anruf:
„50.000 Dollar, sonst …"
„Siehst du", sagt der Vater grimmig.
„Ich kenne unseren Rolf. Wenn wir noch zwei Tage warten, bieten uns die Gangster noch Geld, damit wir ihn zurücknehmen!"

Ein Mann stürzt aufgeregt in die Polizeiwachstube.
„Ich komme eben aus dem Laden und will zum Auto zurückgehen, da sehe ich, wie jemand die Scheibe einschlägt, die Tür aufreißt und mit meinem Auto davonbraust!"
„Und können Sie den Dieb beschreiben?" fragt der Polizist.
„Das nicht", sagt der Mann, „aber ich habe mir die Autonummer notiert!"

Die Frau des Verbrechers besucht ihren Mann im Gefängnis.
„So ein Pech, dass du ausgerechnet jetzt einen Hungerstreik machst."
„Warum ist das Pech?" fragt ihr Mann.
„Im Kuchen war eine Feile!"

Peter kommt aufgeregt und zu spät in die Schule: „Bitte, ich bin von Räubern überfallen worden!"
„Was hat man dir geraubt?"
„Gott sei Dank nur die Hausaufgaben!"

In einer Ganovenkneipe.
Zur Überraschung aller blättert der Taschendieb in einem Modemagazin.
„Du bist ja ein ganz schöner Snob geworden", beschwert sich sein Kumpel.
„Ach Quatsch", erwidert der Taschendieb, „das ist nur eine berufliche Fortbildung. Ich muss doch wissen, wo in der neuen Saison die Taschen sitzen!"

Der Richter fragt die Angeklagte: „Ihr Alter?“ Angeklagte: „Der wartet draußen!“

Leonard berichtet stolz:
„Mein Papa ist bei der Polizei.“
Da antwortet Skinny: „Meiner auch.
Wann haben sie deinen denn geschnappt?“

Der Richter fragt Skinny: „Wieso brichst du immer wieder parkende Autos auf?“
Darauf Skinny: „Weil die fahrenden mir zu schnell sind.“

Eine Bank wird zum dritten Mal vom selben Bankräuber überfallen. Der Polizist fragt den Kassierer: „Ist Ihnen irgendetwas an dem Mann aufgefallen?“
„Ja, er war von Mal zu Mal besser gekleidet!“

Beim Banküberfall schreibt der Räuber einen Zettel:
„Geld her, aber zackig!“
Die Kassiererin nickt, schreibt auf die Rückseite:
„Krawatte geraderücken, Sie werden gefilmt!“

Ein Dieb bricht in ein Haus ein. Im Wohnzimmer
steht ein Vogelkäfig mit einem prächtigen
Papagei. Als der Mann das Zimmer betritt,
sagt der Papagei: „Der liebe Gott sieht alles!“
Der Mann sagt: „Du bist aber ein kluger Vogel!“
Der Papagei antwortet: „Der liebe Gott sieht
alles!“
Der Mann ist begeistert: „Mann, du bist ein
süßes Kerlchen! Wie heißt du denn?“
Der Papagei erwidert: „Heinz-Rüdiger.“
Sagt der Mann: „Das ist aber wirklich ein
komischer Name für einen Papagei.“
Sagt der Papagei: „Der liebe Gott ist ja auch
ein komischer Name für einen Hund!“

Mr Shaw wird eines nachts auf dem Weg nach Hause von zwei Räubern überfallen. Er wehrt sich mit aller Kraft und liefert sich einen langen Kampf mit den Ganoven. Schließlich wird er doch überwältigt. Die Räuber durchsuchen Mr Shaws Taschen, finden jedoch nur zwei 10-Cent-Stücke. „Wieso hast du dich wegen der paar Cent so gewehrt", fragt einer der Räuber fassungslos. „Na ja", sagt Mr Shaw „ich habe gedacht, ihr seid hinter den 500 Dollar her, die ich im Schuh versteckt habe."

„Ich verurteile Sie zu 200 Dollar Geldstrafe wegen Ausraubens von Parkautomaten", verkündet der Richter streng. Der Angeklagte daraufhin: „Kann ich die Strafe eventuell mit Kleingeld bezahlen?"

Der Staatsanwalt fragt den Angeklagten: „Angeklagter, kennen Sie dieses Messer?"
„Nein, nie gesehen", sagt der Angeklagte.
„Sie lügen", empört sich der Staatsanwalt.
Die Verhandlung wird auf den nächsten Tag vertagt.
Am nächsten Tag fragt der Staatsanwalt wieder: „Angeklagter, kennen Sie dieses Messer?"
„Ja", sagt der Angeklagte.
Der Staatsanwalt seufzt erleichtert: „Na also. Und jetzt sagen Sie uns auch, woher Sie dieses Messer kennen, nicht wahr?"
„Natürlich", sagt der Angeklagte. „Sie haben es mir gestern schon einmal gezeigt."

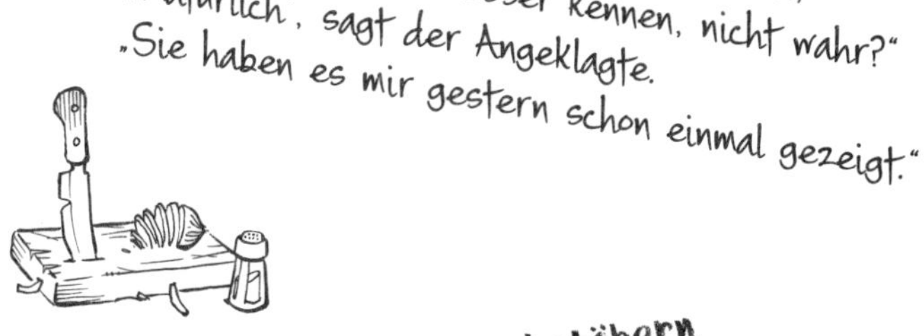

Die Einbrecher durchstöbern eine Wohnung, als sie plötzlich eine Polizeisirene hören. „Schnell", ruft der eine, „springt aus dem Fenster und rettet euch!"
„Aber wir sind doch hier im 13. Stockwerk!", schreit ein anderer.
„Also wirklich", ruft der erste, „jetzt ist wirklich nicht die Zeit für so einen dummen Aberglauben!"

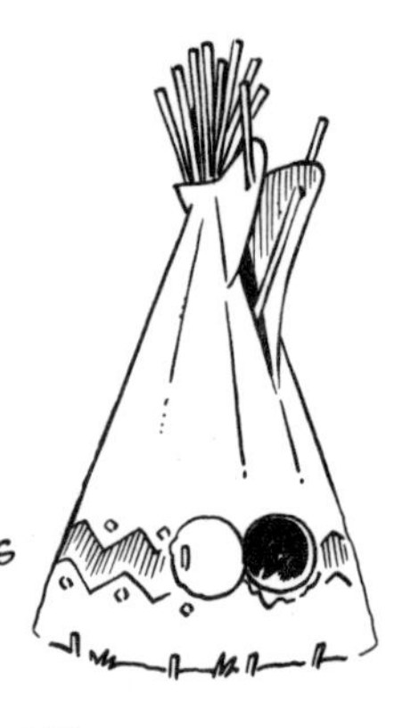

Justus, Peter und Bob verbringen die Nacht im Zelt. Mitten in der Nacht weckt Justus die anderen beiden. „Was seht ihr?“
„Ich sehe Sterne am Himmel“, sagt Bob.
„Sehr gut. Und was bedeutet das?“
„Dass es im Universum sicherlich intelligentes Leben gibt. Und sehr viele Planeten“, sagt Peter und grinst.
„Quatsch. Man hat uns gerade das Zelt geklaut!“

„Also“, sagt der Richter zu Skinny Norris, „Sie können mir doch nicht erzählen, dass Sie die Brieftasche, die Sie auf der Parkbank gefunden haben, für Ihre eigene gehalten haben.“
„Das nicht“, gibt Skinny zu, „aber das Geld darin kam mir so verdammt bekannt vor!“

„Erklären Sie sich für schuldig?“, fragt der Richter den Angeklagten.
„Weiß ich noch nicht“, antwortet der Angeklagte. „Ich warte erst einmal ab, was die Zeugen sagen.“

Onkel Titus geht im Wald spazieren.
Plötzlich kommt ein maskierter Mann aus dem Gebüsch gesprungen: „Überfall! Gib mir dein Geld!"
„Entschuldigung", sagt Onkel Titus, „aber ich gehe immer ohne meine Brieftasche spazieren."
„Dann gib mir deine Uhr", ruft der Räuber.
Onkel Titus zuckt mit den Schultern: „Die habe ich nach dem duschen heute Morgen vergessen anzuziehen, tut mir leid!"
Der Räuber rauft sich die Haare. „Na gut", sagt er schließlich, „dann trag mich wenigstens ein Stück!"

„Angeklagter, haben Sie etwas nach dem Zeugen geworfen oder nicht?"
„Ja, aber nur Tomaten."
„Und woher kommen dann die Beulen an seinem Kopf?"
„Na ja, es waren Dosentomaten."

Eine Weinbergschnecke wird von einer Schildkröte ausgeraubt. Als sie den Vorfall der Polizei schildern soll, seufzt sie: „Ach, Herr Wachtmeister. Das ging alles so schnell ...!“

Der Richter zum Bankräuber: „Jetzt nennen Sie endlich den Namen Ihres Komplizen!“ Darauf dieser mit felsenfester Stimme: „Niemals! Glauben Sie etwa, ich verpfeife meinen eigenen Bruder?“

Im Gefängnis bekommt der Verbrecher Besuch von seiner Freundin.
Sie flüstert: „Na, hast du die Feile gefunden, die ich voriges Mal im Kuchen versteckt hatte?“
„Ja, danke!“, flüstert er zurück.
„Und?“
„Ja, jetzt habe ich die schönsten Fingernägel im Bau!“

Nachdem der Staatsanwalt den Tathergang verlesen hat fragt der Richter Skinny Norris: „Hat sich der Einbruch so abgespielt, wie ihn der Staatsanwalt geschildert hat?"
„Nein, Herr Richter", antwortet Skinny, „aber Kompliment an den Staatsanwalt: super Idee!"

Der Einbrecher steht zum wiederholten Male vor Gericht. Meint der Richter: „Sie sind ja schon wieder da! Ich dachte, die letzte Strafe hätte Sie zu einem besseren Menschen gemacht."
„Hat sie auch, hat sie auch, Herr Richter", antwortet der Einbrecher. „Aber ich will noch viel besser werden!"

Skinny Norris wird wegen Autodiebstahls angeklagt. Vor Gericht versucht er, sich zu verteidigen: „Ich habe das Auto nur gestohlen, weil ich ganz schnell zur Arbeit musste, Herr Richter."
Doch der Richter hat dafür wenig Verständnis: „Da hätten Sie doch auch einen Bus nehmen können."
Antwortet Skinny: „Tut mir leid, aber für Busse habe ich keinen Führerschein."

Richter zum Angeklagten: „Ich entziehe Ihnen den Führerschein. Sie sind eindeutig nicht in der Lage, einen Wagen zu führen, schließlich haben Sie in einem Monat schon vier Fußgänger und zwei Radfahrer angefahren!“
Antwortet der Angeklagte: „Wie viele darf man denn maximal pro Monat?“

Der stadtbekannte Kleinkriminelle steht vor dem Richter: „Glauben Sie mir, Herr Richter, ich bin unschuldig!“ „Ja, ja, das sagen sie alle“, erwidert der Richter genervt. Darauf der Angeklagte erleichtert: „Ja, aber wenn alle anderen das auch sagen, dann muss es doch stimmen!“

Skinny Norris fragt einen Ganovenfreund: „Würdest du eine dicke Brieftasche, die du auf der Straße gefunden hast, abgeben?“ „Also, wenn ich ehrlich sein soll – nein!“

Sagt der Richter zum Angeklagten: „Sie wissen, warum Sie hier sind?“ „Natürlich“, antwortet der Angeklagte, „weil ich zu langsam gefahren bin.“ „Zu langsam? Sind Sie noch ganz bei Trost? Sie sind mit 180 km/h durch die Innenstadt gerast!
„Ja, das ist das Problem. Mit 220 Sachen hätte mich die Polizei nie erwischt.“

Der Gangsterboss nimmt vor der Verhandlung noch einmal seinen Anwalt zur Seite und raunt ihm ins Ohr: „Wenn ich mit einem halben Jahr davonkomme, dann bekommen Sie noch mal 5.000 Dollar extra!“
Nach dem Prozess kommt der Anwalt freudestrahlend zum Angeklagten: „Geschafft! Aber das war wirklich ein hartes Stück Arbeit, die wollten Sie doch glatt freisprechen!“

Unterhalten sich zwei Gefängniswärter: „Mensch, der Gefangene aus Zelle 15 ist gestern ausgebrochen!“ „Na endlich, dieses Quietschen der Feile war ja nicht mehr auszuhalten.“

Richter: „Angeklagter, Sie haben also die Hasen gestohlen. Hat die Stalltür nun offen gestanden oder war sie verschlossen?“
Angeklagter: „Offen gestanden, verschlossen.“

Stehen drei Männer vor dem Richter. Der fragt den ersten, was er getan hat. „Ich habe den Stein in den Fluss geworfen“, gesteht er. „Das ist keine Straftat, Sie sind freigesprochen“, entscheidet der Richter. Als der zweite gefragt wird, antwortet er: „Und ich habe ihm geholfen, den Stein in den Fluss zu werfen. Wieder Freispruch. Dann fragt der Richter den dritten: „Und Sie?“ „Ich bin Roland Stein …“

Der Richter sagt zum Angeklagten: „Ich verurteile Sie hiermit wegen Beamtenbeleidigung zu einer Geldstrafe von 500 Dollar. Möchten Sie noch etwas sagen?“ Der Angeklagte antwortet: „Eigentlich schon, aber bei den Preisen lieber nicht!“

„Warum bist du eigentlich verurteilt worden?"
„Ich habe einige Sachen gefunden."
„Na und?"
„Das Dumme war, dass die Eigentümer die Sachen noch nicht verloren hatten!"

„Wegen der Einbrecher lassen wir jetzt nachts immer das Licht brennen."
„Wieso? Haben die denn keine Taschenlampen?"

Onkel Titus zum Einbrecher, der mitten in der Nacht eingebrochen ist: „Gott sei Dank, dass Sie endlich da sind. Meine Frau weckt mich schon seit elf Jahren jede Nacht, weil sie glaubt, Sie seien gekommen."

Skinny Norris sitzt vor dem Fernseher. Es fängt gerade ein Krimi an: „Schnell, komm runter!“, ruft er seinem Kumpel zu. „Es gibt Schulfernsehen.“

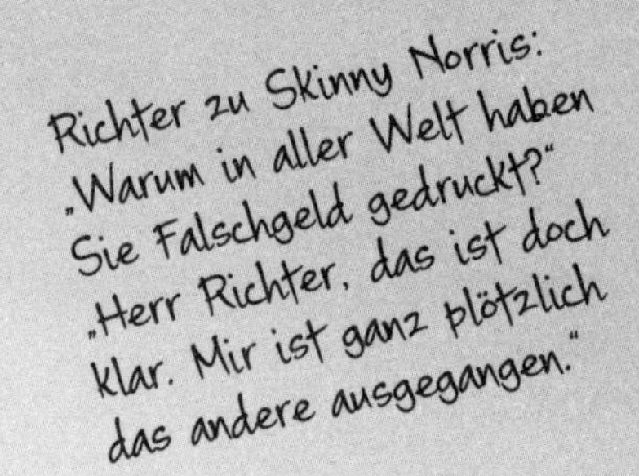

Richter zu Skinny Norris:
„Warum in aller Welt haben
Sie Falschgeld gedruckt?“
„Herr Richter, das ist doch
klar. Mir ist ganz plötzlich
das andere ausgegangen.“

„Angeklagter, warum haben Sie bei Ihrem ersten Diebstahl ausgerechnet zwanzig Stück Seife mitgenommen?“
„Mir ging es so dreckig.“

Der Bankräuber flippt aus: „Da haben wir Idioten acht Wochen wie die Blöden unter der Bank gebohrt und gebuddelt. Und für was? Nur dafür, dass die blöde Bank in der Zwischenzeit pleitegeht."

„Herr Richter, ich bitte Sie um mildernde Umstände. Zur Zeit der Tat war ich ohne festen Wohnsitz. Ich hatte nichts zu essen und keine Freunde." „Ich habe das alles bereits berücksichtigt", sagt der Richter. „Für die kommenden fünf Jahre werden Sie einen festen Wohnsitz, regelmäßige Verpflegung und auch jede Menge Freunde haben."

Richter: „Warum haben Sie den Kläger auf offener Straße verprügelt?"
Angeklagter: „Meine Verhältnisse erlauben mir nicht, dafür extra auch noch eine Sporthalle zu mieten!"

„Früher sind mir die Frauen immer massenhaft nachgelaufen."
„Und warum heute nicht mehr?"
„Weil ich keine Handtaschen mehr klaue!"

Der Richter zum Angeklagten:
„Sagen Sie mal, warum haben Sie ihrem über 70-jährigen Nachbarn vier Zähne ausgeschlagen?"
„Er hatte nicht mehr, Herr Richter!"

Richter: „Wie alt?"
Skinny: „16."
Richter: „Konfession?"
Pause.
Richter: „Na, in welche Kirche gehen Sie denn?"
Skinny: „Sankt Johann in Rocky Beach!"

„Sie bekommen entweder 500 Dollar, zehn Tage Strafdienst in einer wohltätigen Einrichtung oder sie wandern für zwei Wochen ins Gefängnis“, stellt der Richter dem Angeklagten zur Wahl.
„Wenn Sie schon so fragen, Herr Richter, dann nehme ich natürlich das Geld!“

Die Gangsterbraut besucht ihren Freund, den Tresorknacker, im Gefängnis.
„Na, Liebchen, wie kommst du denn jetzt über die Runden, wo ich nicht mehr da bin und für dich sorgen kann?“, fragt er seine Braut.
„Ach, das geht“, antwortet die Frau.
„Von der Belohnung, die ich kassiert habe, kann ich gut drei Jahre in Saus und Braus leben!“

„Zehn Jahre Gefängnis“, verkündet der Richter.
„Angeklagter, haben Sie noch etwas hinzuzufügen?“
„Nein, Herr Richter. Mich ärgert nur, wie großzügig Sie hier mit der freien Zeit anderer Leute umgehen.“

Urteilsspruch des Richters:
„Dem verurteilten Fahrer wird es bei guter Führung gestattet, einmal wöchentlich sein Auto zu sehen."

„Was ist ein Betrug?", wird der Jurastudent bei der Prüfung gefragt.
„Wenn Sie mich jetzt durchfallen lassen, ist das ein Betrug", sagt der Student und grinst.
„Wieso das denn?", fragt der Professor verwundert.
Der Student erklärt geduldig: „Einen Betrug begeht, wer die Unwissenheit eines anderen ausnutzt, um ihm Schaden zuzufügen!"

Der Richter fragt den Angeklagten:
„Und wann haben Sie bemerkt, dass das Grundstück bewacht wird?"
„Als mir der Dobermann in den Hintern gebissen hat."
Da wendet sich der Richter an den Zeugen:
„Herr Dobermann, ist das richtig?"

Skinny Norris zu seinem Vater:
„Ich habe heute 4 Tore geschossen."
Bud Norris: „Cool. Dann habt ihr
ja endlich mal gewonnen."
Skinny Norris: „Nicht wirklich,
wir spielten 2:2!"

Ein Mädchen zu Skinny
Norris: „Weißt du,
dass Mädchen schlauer
sind als Jungs?"
Darauf Skinny: „Nein,
das wusste ich nicht."
Antwortet das Mädchen:
„Siehst du!"

Skinny Norris zu seinem Vater: „Kennst du den Unterschied zwischen Radio, Fernsehen und Taschengelderhöhung?"
Bud Norris: „Nein!"
Skinny Norris: „Das Radio hört man, das Fernsehen sieht man, aber von einer Taschengelderhöhung hört und sieht man leider überhaupt nichts!"

Scherzfragen

für zwischendurch

Was ist grün und macht die Toilette sauber?
Ein Klokodil.

Welche Handwerker essen am meisten?
Maurer, die verputzen ganze Häuser.

Was ist Schwarz-weiß gestreift und berührt nicht den Boden?
Ein Schwebra.

Was ist grün, rund und qualmt?
Kohldampf.

Was benutzt ein Geizhals zum Frisieren?
Spargel.

Was gräbt und ist aus der Puste?
Eine Schnaufel.

Was ist eine Tüte mit Blaulicht?
Eine Tatüte.

Womit kann man Berge glätten?
Mit dem Hügeleisen.

In welcher Maßeinheit
messen Hunde ihre
Temperatur?
In Bell-Grad.

Was sitzt im Baum, hat Kopfschmerzen
und kann nachts gut sehen?
Eine Beule.

Was macht man, wenn man eine
Schlange in der Wüste sieht?
Sich hinten anstellen.

Was ist gesund und schwimmt auf dem Wasser?
Ein Vollkornboot.

Warum können Bienen so gut rechnen?
Weil sie sich den ganzen Tag mit
Summen beschäftigen.

Was hängt im Urwald an den Bäumen?
Urlaub.

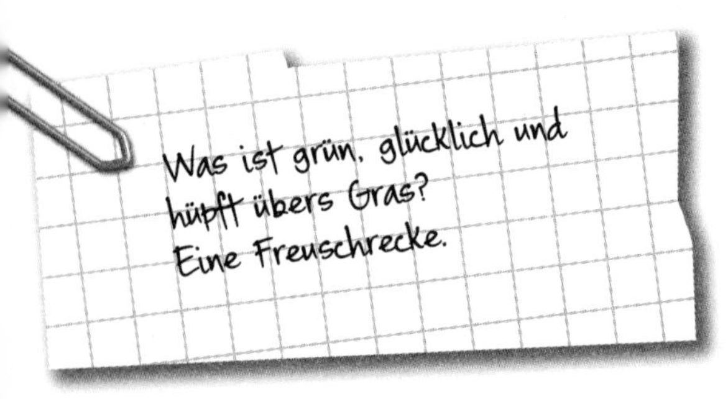

Welche Sprache wird in der Sauna gesprochen?
Schwitzerdeutsch.

Wie heißt der Bruder von Elvis?
Zwölvis.

Was ist rot und bewegt sich
immer auf und ab?
Eine Tomate im Fahrstuhl.

Was ist aller Laster Anfang?
Die Stoßstange.

Womit findet man am besten neue Freunde?
Mit Kontaktlinsen.

Wer wohnt im Dschungel und schummelt?
Mogli.

Warum kann ein Skelett so schlecht lügen?
Es ist so leicht zu durchschauen.

Warum steht die Freiheitstatue
in New York?
Weil sie sich nicht setzen kann.

Was macht ein Wikinger auf einem Eisberg?
Frieren.

Warum fliegen Störche im Winter in den Süden?
Weil Laufen zu lange dauern würde.

Wie nennt man den Flur eines Iglus?
Eisdiele.

Was bestellt ein Maulwurf im Restaurant?
Ein Drei-Gänge-Menü.

Was sagt der große Stift
zum kleinen Stift?
Wachsmalstift.

Was ist gelb und hüpft durch den Wald?
Der Postfrosch.

Was ist ein studierter Bauer?
Ein Ackerdemiker.

Was ist die Lieblingsspeise von Piraten?
Kapern.

Was ist niedlich und hüpft qualmend über den Acker?
Ein Kaminchen.

Was sagt ein Origami-Lehrer zu seinem Schüler?
„Das kannst du knicken."

Welches Getränk trinken Firmenchefs?
Leitungswasser.

Was ist groß, blau, lebt zehn Meter unter der Erde und frisst Steine?
Der große blaue Steinfresser.

Was ist gelb und filmt alles von oben?
Eine Zidrohne.

Was ist gelb und kann schwimmen?
Eine Schwanane.

Worauf besteht ein Pirat, wenn er den Fernseher anmacht?
Auf gutes Enter-tainment.

Was lebt unter Wasser und sieht alles doppelt?
Ein Schielpferd.

Wie nennt man einen Italiener, der sich Schafe leiht?
Lamm-borghini.

Was ist rot, schnieft und läuft durch den Wald?
Rotzkäppchen.

Wie heißt das Reh mit Vornamen?
Kartoffelpü.

Was machen Hotels in Lappland?
Sich rentieren.

Was braucht ein Blinder im Schwimmbad?
Einen Sehhund.

Sagt die eine Wand zur anderen:
„Wir treffen uns an der Ecke!"

Was schwimmt auf dem See, ist gelb und hat eine Augenklappe?
Entern.

Was ist hyperaktiv und gesund?
Eine Hampelmuse.

Wie nennt man einen verletzten Hahn?
Einen Auahahn.

Wie heißt eine Mücke auf dem Acker?
Feldstecher.

Was steht im Schlafzimmer des Metzgers neben dem Bett?
Ein Schlachttischlämpchen.

Was ist rot bis pink und muss auf die Stille Treppe?
Eine Schlimmbeere.

Was macht „Muh" und hilft beim Anziehen?
Ein Kuhlöffel.

Was ist grün, klein und dreieckig?
Ein grünes kleines Dreieck.

Was ist orange und zum Backen da?
Ein Backstein.

Was ist grün und sitzt auf der Wiese?
Eine Kuh im Trainingsanzug.

Was ist bunt und läuft über den Tisch davon?
Ein Fluchtsalat.

Warum gibt es keine
Ameisen in der Kirche?
Weil sie In-Sekten sind.

Was schwimmt in einem See und fängt mit Z an?
Zwei Enten.

Wie nennt man einen Mann, der Geld aus dem
Fenster wirft?
Einen Scheinwerfer.

Was macht das Nilpferd mittags?
Ein Dickerchen.

Was ist rot und sitzt auf der Toilette?

Eine Klomate.

Was ist rot und steht am Kopierer?
Die Paprikantin.

Was ist rot, trägt ein Stirnband und rennt wie blöd durch den Wald?
Ein Rambodieschen.

Was liegt am Strand und man kann es schlecht verstehen?
Eine Nuschel.

Was schwimmt auf dem Wasser und macht „Kikeriki“?
Ein Wasserhahn.

Was ist dick und steht am Kopierer?
Der Praktifant.

Was ist schwarz-weiß gestreift
und kommt nicht vom Fleck?
Ein Klebra.

Was ist groß, grau und total egal?
Ein Irrelefant.

Was schwimmt im Meer
und kann addieren?
Ein Oktoplus.

Was ist blau und sitzt in der ersten Reihe?
Eine Schlaubeere.

Was ist braun, haarig und fährt durch die Stadt?
Ein Kokosbus.

Was ist braun und hat eine schlechte Schrift?
Ein Kritzlibär!

Wieso kann ein Bagger nicht schwimmen?
Weil er nur einen Arm hat.

Bei welchem Arzt ist Pinocchio in Behandlung?
Beim Holz-Nasen-Ohren-Arzt.

Welches Gebäck weiß auf alles eine Antwort?
Der Googlehupf.

Was hüpft durch den Schnee und ist schwarz-weiß?
Ein Springuin.

Wie heißt ein Opa der eine Uhr trägt?
Ein Uhropa.

Wie nennt man einen Mann, der aus dem Fenster sieht, ob es regnet?
Einen Regenschauer.

Treffen sich zwei Rühreier. Sagt das eine zum anderen: „Hach, ich bin heute irgendwie so durcheinander!“

Was ist weiß und steht hinter einem Baum?
Eine schüchterne Milch.

Wer trägt den ganzen Tag eine Brille und sieht trotzdem nichts?
Eine Kloschüssel.

Wo wohnt eine Katze?
Im Miezhaus.

Was sitzt im Baum und weint?
Eine Heule.

Wie nennt man Pilze,
die springen können?
Jumpignons!

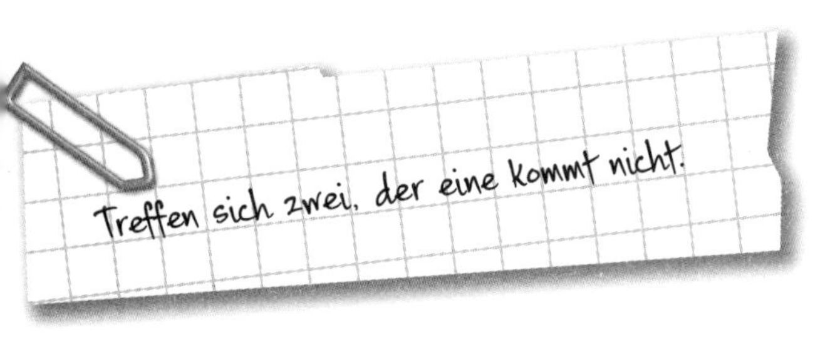

Was ist ein Bär, der schreiend auf einer Kugel sitzt?
Ein Kugel-schrei-bär.

Was ist haarig und kommt in die Pfanne?
Eine Bartkartoffel.

Was ist weiß und schwarz
und auf der Schaukel?
Ein Schwinguin.